GUI

Traduit en 36 langues, plusieurs fois adapté au cinéma, Guillaume Musso est l'auteur français le plus lu.

Passionné de littérature depuis l'enfance, il commence à écrire alors qu'il est étudiant. Paru en 2004, son roman *Et après…* est vendu à plus de deux millions d'exemplaires. Cette incroyable rencontre avec les lecteurs, confirmée par l'immense succès de tous ses romans ultérieurs, *Sauve-moi*, *Seras-tu là ?*, *Parce que je t'aime*, *Je reviens te chercher*, *Que serais-je sans toi ?*, *La Fille de papier*, *L'Appel de l'ange*, *7 ans après…* et *Demain* fait de lui un des auteurs français favoris du grand public.

Le dernier roman de Guillaume Musso, *Central Park*, paraît chez XO Éditions en 2014.

Retrouvez toute l'actualité de l'auteur sur :
www.guillaumemusso.com

SERAS-TU LÀ ?

GUILLAUME MUSSO

SERAS-TU LÀ ?

XO ÉDITIONS

Pocket, une marque d'Univers Poche,
est un éditeur qui s'engage pour la préservation
de son environnement et qui utilise du papier fabriqué
à partir de bois provenant de forêts gérées
de manière responsable.

Le Code de la propriété intellectuelle n'autorisant, aux termes de l'article
L. 122-5, 2° et 3° a, d'une part, que les « copies ou reproductions strictement réservées à l'usage privé du copiste et non destinées à une utilisation
collective » et, d'autre part, que les analyses et les courtes citations dans
un but d'exemple et d'illustration, « toute représentation ou reproduction
intégrale ou partielle faite sans le consentement de l'auteur ou de ses
ayants droit ou ayants cause est illicite » (art. L. 122-4).
Cette représentation ou reproduction, par quelque procédé que ce soit,
constituerait donc une contrefaçon, sanctionnée par les articles L. 335-2
et suivants du Code de la propriété intellectuelle.

© XO Éditions, Paris, 2006
ISBN : 978-2-266-24579-1

On s'est tous posé la question au moins une fois : si on nous donnait la chance de revenir en arrière, que changerions-nous dans notre vie ?

Si c'était à refaire, quelles erreurs tenterions-nous de corriger ? Quelle douleur, quel remords, quel regret choisirions-nous d'effacer ?

Oserions-nous vraiment donner un sens nouveau à notre existence ?

Mais pour devenir quoi ?
Pour aller où ?
Et avec qui ?

Prologue

Nord-est du Cambodge
Saison des pluies
Septembre 2006

L'hélicoptère de la Croix-Rouge se posa à l'heure prévue.

Perché sur un haut plateau entouré de forêts, le village comprenait une centaine d'habitations rudimentaires faites en grande partie de rondins et de branchages. L'endroit semblait perdu, intemporel, loin des zones touristiques d'Angkor ou de Phnom Penh. L'air était saturé d'humidité et la boue recouvrait tout.

Le pilote ne prit pas la peine de couper la turbine. Sa mission : ramener vers la ville une équipe médicale humanitaire. Rien de bien compliqué en temps normal. Malheureusement, on était en septembre et les pluies torrentielles qui tombaient sans relâche rendaient difficile le maniement de l'appareil. Côté carburant, ses réserves étaient limitées, mais néanmoins suffisantes pour ramener tout le monde à bon port.

À condition de ne pas traîner…

Deux chirurgiens, un anesthésiste et deux infirmières sortirent en courant du dispensaire de fortune dans lequel ils travaillaient depuis la veille. Ces dernières semaines, ils avaient parcouru les villages des environs, traitant comme ils le pouvaient les ravages du paludisme, du sida ou de la tuberculose, soignant les amputés et les équipant de prothèses, dans ce coin du pays encore truffé de mines antipersonnel.

Au signal du pilote, quatre des cinq praticiens s'engouffrèrent dans l'hélico. Le dernier, un homme d'une soixantaine d'années, resta un peu en retrait, le regard perdu sur le groupe de Cambodgiens qui entouraient l'appareil. Il n'arrivait pas à se décider à partir.

— Il faut y aller, docteur ! lui cria le pilote. Si nous ne décollons pas maintenant, vous ne pourrez pas prendre votre avion.

Le médecin hocha la tête. Il s'apprêtait à monter dans l'appareil lorsque son regard croisa celui d'un enfant tenu à bout de bras par un vieil homme. Quel âge avait-il ? Deux ans ? Trois tout au plus.

Son petit visage était horriblement déformé par une fissure verticale qui avait fait éclater sa lèvre supérieure. Une malformation congénitale qui le condamnerait à se nourrir toute sa vie de soupes et de bouillies et qui le rendrait incapable d'articuler le moindre mot.

— Dépêchez-vous ! implora l'une des infirmières.

— Il faut opérer cet enfant, cria le médecin en essayant de couvrir le bruit des pales qui tournoyaient au-dessus de leurs têtes.

— Nous n'avons plus le temps ! Les routes sont impraticables à cause des inondations et l'hélico ne pourra pas revenir nous chercher avant plusieurs jours.

Mais le médecin ne bougeait pas, incapable qu'il était de détourner les yeux de ce petit garçon. Il savait que, dans cette région du monde, les bébés nés avec un « bec-de-lièvre » étaient parfois abandonnés par leurs parents en raison d'anciennes coutumes. Et une fois dans un orphelinat, leur malformation leur enlevait toute chance d'être accueillis par une famille adoptive.

L'infirmière revint à la charge :

— Vous êtes attendu après-demain à San Francisco, docteur. Vous avez un planning d'opérations très serré, vous avez vos conférences et…

— Partez sans moi, trancha finalement le toubib en s'éloignant de l'appareil.

— Dans ce cas je reste avec vous, décida l'infirmière en sautant sur le sol.

Elle s'appelait Emily. C'était une jeune Américaine qui travaillait dans le même hôpital que lui.

Le pilote secoua la tête en soupirant. L'hélicoptère s'éleva à la verticale puis s'immobilisa brièvement avant de s'éloigner vers l'ouest.

Le médecin prit le gamin dans ses bras : il était blême et recroquevillé sur lui-même. Accompagné par l'infirmière, il le conduisit dans le dispensaire et prit le temps de lui parler pour faire diminuer son angoisse avant de procéder à l'anesthésie. Une fois l'enfant endormi, il décolla minutieusement au bistouri les voiles de son palais et les étira pour combler la fente palatine. Puis il procéda de la même manière pour reconstruire les lèvres et rendre un vrai sourire à ce petit garçon.

★

Lorsque l'opération fut terminée, le médecin sortit s'asseoir un moment sur la véranda couverte de tôles et de feuilles séchées. L'intervention avait été longue. Il n'avait pratiquement pas dormi depuis deux jours et il sentit la fatigue le saisir d'un seul coup. Il alluma une cigarette et regarda autour de lui. La pluie s'était calmée. Une trouée de ciel déversait une lumière éclatante où dominaient le pourpre et l'orangé.

Il ne regrettait pas d'être resté. Chaque année, il partait plusieurs semaines en Afrique ou en Asie pour le compte de la Croix-Rouge. Ces missions humanitaires ne le laissaient jamais indemne, mais elles étaient devenues une drogue, une façon pour lui d'échapper à sa vie bien huilée de chef de service dans un hôpital californien.

Alors qu'il écrasait son mégot, il sentit une présence derrière lui. En se retournant, il reconnut le vieil homme qui avait tendu l'enfant à bout de bras lors du départ de l'hélicoptère. C'était une sorte de chef de village. Vêtu de l'habit traditionnel, il avait le dos voûté et le visage creusé par les rides. En guise de salut, il porta ses mains jointes au menton, la tête droite, en regardant le médecin dans les yeux. Puis, d'un geste de la main, il l'invita à le suivre dans son habitation. Il lui offrit un verre d'alcool de riz avant de prononcer ses premières paroles :

— Il s'appelle Lou-Nan.

Le médecin devina qu'il s'agissait du prénom de l'enfant et se contenta de hocher la tête.

— Merci de lui avoir rendu un visage, ajouta le vieux Cambodgien.

Le chirurgien accepta humblement ces remercie-
ments puis, presque gêné, détourna son regard. À
travers la fenêtre sans vitre, il pouvait apercevoir la
forêt tropicale, dense et verte, qui s'étendait toute
proche. Ça lui faisait drôle de savoir qu'à quelques
kilomètres seulement, juste un peu plus haut dans
les montagnes de Ratanakiri, vivaient encore des
tigres, des serpents et des éléphants…

Perdu dans sa rêverie, il eut du mal à saisir le sens
des paroles de son hôte lorsque celui-ci lui demanda :

— Si vous aviez la possibilité de voir l'un de
vos vœux exaucé, lequel choisiriez-vous ?

— Pardon ?

— Quel serait votre plus grand désir en ce
monde, docteur ?

Le médecin chercha d'abord une repartie spiri-
tuelle mais, vaincu par la fatigue et saisi par une
émotion inattendue, il dit doucement :

— Je voudrais revoir une femme.

— Une femme ?

— Oui, la seule… la seule qui ait compté.

Et là, dans ce lieu reculé, loin des yeux de l'Oc-
cident, quelque chose de solennel passa entre ces
deux hommes.

— Cette femme, vous ne savez pas où elle est ?
demanda le vieux Khmer surpris par la simplicité
de cette requête.

— Elle est morte il y a trente ans.

L'Asiatique fronça légèrement les sourcils et se plongea dans une profonde réflexion. Puis, après un moment de silence, il se leva dignement et gagna le fond de la pièce où, sur de précaires étagères, s'entassait une partie de ses ressources : hippocampes séchés, racines de ginseng, serpents venimeux entrelacés dans du formol...

Il farfouilla un moment dans ce bric-à-brac, avant de mettre la main sur ce qu'il cherchait.

Lorsqu'il revint vers le médecin, il lui tendit un minuscule flacon en verre soufflé.

Il contenait dix petites pilules dorées...

1

Première rencontre

*Un beau soir l'avenir s'appelle le passé.
C'est alors qu'on se tourne et qu'on voit
sa jeunesse.*

Louis ARAGON

**Aéroport de Miami
Septembre 1976
Elliott a *30* ans**

C'est un dimanche après-midi de septembre, sous le ciel de Floride...

Au volant d'une Thunderbird décapotable, une jeune femme remonte la voie menant au terminal. Cheveux au vent, elle roule à bonne allure, dépassant plusieurs voitures avant de faire une courte halte devant le hall des départs. Le temps pour elle d'y déposer l'homme installé sur le siège passager. Celui-ci récupère son sac dans le coffre puis se penche à la fenêtre pour envoyer un baiser à sa conductrice. Un claquement de portière et le voici qui pénètre dans le bâtiment de verre et d'acier.

Lui, c'est Elliott Cooper. Il a un physique avenant et une allure élancée. Il est médecin à San Francisco, mais son blouson en cuir et ses cheveux indisciplinés lui donnent un air d'adolescent.

Machinalement, il se dirige vers le comptoir d'enregistrement pour y récupérer sa carte d'embarquement : Miami/San Francisco.

— Je parie que je te manque déjà…

Surpris par cette voix familière, Elliott se retourne dans un sursaut.

Celle qui lui fait face lui lance un regard d'émeraude, mélange de défi et de fragilité. Elle porte un jean taille basse, une veste cintrée en daim ornée de l'insigne *peace and love* et un tee-shirt aux couleurs du Brésil, son pays d'origine.

— C'était quand, déjà, la dernière fois que je t'ai embrassée ? demande-t-il en posant la main à la naissance de son cou.

— Au moins une bonne minute.

— Une éternité…

Il l'enlace et la serre contre lui.

Elle, c'est Ilena, la femme de sa vie. Il la connaît depuis dix ans et lui doit tout ce qu'il y a de meilleur en lui : son métier de médecin, son ouverture aux autres et une certaine exigence dans la façon de mener son existence…

Il s'étonne qu'elle soit revenue, car ils ont toujours été d'accord pour s'éviter les longues scènes d'adieux, bien conscients que ces quelques minutes supplémentaires se paieront au final par plus de souffrance que de réconfort.

C'est que leur histoire est compliquée. Elle habite en Floride, lui à San Francisco.

Leur amour longue distance se vit sur le mode du décalage horaire, rythmé par les quatre fuseaux horaires et les quatre mille kilomètres qui séparent la côte Est de la côte Ouest.

Bien sûr, après toutes ces années, ils auraient pu choisir de s'installer ensemble. Mais ils ne l'ont pas fait. Au début parce qu'ils se méfiaient de l'usure du temps. Parce que le quotidien, en échange d'une vie plus paisible, les aurait privés de ces emballements du cœur qu'ils éprouvent à chacune de leurs retrouvailles et qui constituent leur oxygène.

Et puis, chacun s'est construit sa vie dans son environnement professionnel. L'un tourné vers le Pacifique, l'autre vers l'Atlantique. Après d'interminables études de médecine, Elliott vient d'obtenir un poste de chirurgien dans un hôpital de San Francisco. Quant à Ilena, elle s'occupe de ses dauphins et de ses orques à l'*Ocean World* d'Orlando, le plus grand parc marin du monde, où elle officie en tant que vétérinaire. Depuis quelques mois, elle consacre aussi beaucoup de temps à une organisation qui commence à faire parler d'elle : Greenpeace. Fondée quatre ans plus tôt par un groupe de militants pacifistes et écologistes, la ligue des « combattants de l'arc-en-ciel » s'est fait connaître grâce à sa lutte contre les essais nucléaires. Mais c'est surtout pour participer à leur campagne contre le massacre des baleines et des phoques qu'Ilena vient de les rejoindre.

Chacun a donc une vie bien remplie. Pas vraiment le temps de s'ennuyer. N'empêche… Chaque nouvelle séparation est plus intolérable que la précédente.

« *Embarquement immédiat pour tous les passagers du vol 711 à destination de San Francisco, porte n° 18…* ».

— C'est ton avion ? demande-t-elle en desserrant son étreinte.

Il approuve de la tête puis, comme il la connaît bien :

— Tu voulais me dire quelque chose avant que je parte ?

— Oui. Je t'accompagne jusqu'à la zone d'embarquement, dit-elle en lui prenant la main.

Et, tout en marchant à ses côtés, elle se lance dans une tirade avec cette pointe d'accent sud-américain qui le fait craquer.

— Je sais bien que le monde court à la catastrophe, Elliott : la guerre froide, la menace communiste, la course aux armements nucléaires…

Chaque fois qu'ils se séparent, il la regarde comme s'il la voyait pour la dernière fois. Elle est belle comme une flamme.

— … l'épuisement des ressources naturelles, sans parler de la pollution, de la destruction des forêts tropicales ou de…

— Ilena ?

— Oui ?

— Où veux-tu en venir, au juste ?

— J'aimerais que l'on fasse un enfant, Elliott…

— Là, tout de suite, à l'aéroport ? Devant tout le monde ?

C'est tout ce qu'il a trouvé à répondre. Une pointe d'humour pour masquer sa surprise. Mais Ilena n'a pas envie de rire.

— Je ne plaisante pas, Elliott. Je te conseille même d'y réfléchir sérieusement, suggère-t-elle avant de lâcher sa main et de se diriger vers la sortie.

— Attends ! crie-t-il pour la retenir.

« Ceci est le dernier appel pour M. Elliott Cooper, passager du vol 711 à destination de... »

— Et merde ! lâche-t-il en empruntant, résigné, l'escalier roulant qui mène à la zone d'embarquement.

Il est presque arrivé en haut qu'il se retourne pour lui faire un dernier signe.

Un soleil de septembre inonde le hall des départs.

Elliott agite la main.

Mais Ilena a déjà disparu.

★

La nuit était tombée lorsque l'avion se posa à San Francisco. Le vol avait duré six heures et il était plus de 21 heures en Californie.

Elliott s'apprêtait à sortir du terminal et à prendre un taxi lorsqu'il se ravisa. Il mourait de faim. Déstabilisé par les propos d'Ilena, il n'avait pas touché au plateau-repas servi dans l'avion et il savait que son frigo était vide. Au deuxième étage, il repéra une brasserie, le *Golden Gate Café*, où il était déjà venu avec Matt, son meilleur ami qui l'accompagnait quelquefois sur la côte est. Il s'installa au comptoir et commanda une salade, deux bagels et un verre de chardonnay. Fatigué par le *jet lag*, il se frotta les yeux avant de demander des jetons pour utiliser la cabine téléphonique au fond de la salle. Il composa le numéro d'Ilena mais personne ne répondit. À cause du décalage horaire, il était déjà plus de minuit en Floride. Ilena était sûrement chez elle mais elle ne tenait visiblement pas à lui parler.

C'était à prévoir...

Pourtant, Elliott ne regrettait pas sa réaction face à la demande d'Ilena. La vérité, c'est qu'il ne voulait pas d'enfant.

Voilà.

Ce n'était pas un problème de sentiments : il adorait Ilena et il avait de l'amour à revendre. Mais l'amour ne suffisait pas. Car en ce milieu des années soixante-dix, l'humanité ne lui paraissait pas vraiment aller dans la bonne direction et, pour tout dire, il ne tenait pas à endosser la responsabilité de mettre un enfant au monde.

Un discours qu'Ilena ne voulait pas entendre.

De retour au comptoir, il termina son repas puis commanda un café. Il était nerveux et fit craquer ses doigts presque sans le vouloir. Dans la poche de sa veste, il sentit son paquet de cigarettes qui lui faisait du pied et il ne résista pas à l'envie d'en griller une.

Il savait qu'il devait arrêter de fumer. Autour de lui, on parlait de plus en plus de la nocivité du tabac. Depuis une quinzaine d'années, des études épidémiologiques montraient la dépendance engendrée par la nicotine et, en tant que chirurgien, Elliott savait parfaitement que les risques de cancer du poumon étaient plus élevés chez les fumeurs, tout comme les risques d'accidents cardio-vasculaires. Mais comme beaucoup de médecins, il s'occupait davantage de la santé des autres que de la sienne. Il faut dire qu'il vivait à une époque où il était encore normal de fumer dans un restaurant ou dans un avion. À une époque où la cigarette était encore synonyme de glamour et de liberté culturelle et sociale.

J'arrêterai bientôt, pensa-t-il en recrachant une volute de fumée, *mais pas ce soir*... Il se sentait trop déprimé pour un tel effort.

L'air désœuvré, il laissa errer son regard à travers la paroi de verre et c'est là qu'il le vit pour la première fois : un homme vêtu bizarrement d'un pyjama bleu ciel qui semblait l'observer de l'autre côté de la vitre. Il plissa les yeux pour mieux le détailler. L'homme avait la soixantaine, une allure encore sportive et une courte barbe à peine grisonnante qui le faisait ressembler à un Sean Connery vieillissant. Elliott fronça les sourcils. Que faisait ce type, pieds nus et en pyjama, à une heure aussi tardive, au milieu de l'aéroport ?

Le jeune médecin n'aurait pas dû s'en soucier, mais une force inconnue le fit quitter son siège et sortir de la brasserie. L'homme semblait déboussolé, comme débarqué de nulle part. Plus Elliott avançait vers lui, plus il se sentait gagné par une impression de malaise qu'il n'osait pas s'avouer. Qui était cet homme ? Peut-être un patient enfui d'un hôpital ou d'une institution... Dans ce cas, en tant que médecin, n'avait-il pas le devoir de l'aider ?

Lorsqu'il fut à moins de trois mètres, il comprit enfin ce qui l'avait tant troublé : cet homme lui rappelait étrangement son père, mort cinq ans plus tôt d'un cancer du pancréas.

Déconcerté, il se rapprocha encore. De près, la ressemblance était vraiment frappante : même forme de visage, même fossette sur la joue dont il avait hérité...

Et si c'était lui...

Non, il fallait qu'il se ressaisisse ! Son père était mort et bien mort. Il avait assisté à la mise en bière et à la crémation.

— Je peux vous aider, monsieur ?

L'homme recula de quelques pas. Il semblait aussi troublé que lui et dégageait une impression contrastée de force et de dénuement.

— Je peux vous aider ? répéta-t-il.

L'autre se contenta de murmurer :

— Elliott…

Comment connaissait-il son nom ? Et cette voix…

Dire que son père et lui n'avaient jamais été proches relevait de l'euphémisme. Mais à présent qu'il était mort, Elliott regrettait parfois de ne pas avoir fait davantage d'efforts dans le passé pour essayer de mieux le comprendre.

Hébété et bien conscient de l'absurdité de sa question, Elliott ne put s'empêcher de demander, la voix étranglée par l'émotion :

— Papa ?

— Non, Elliott, je ne suis pas ton père.

Bizarrement, cette réponse rationnelle ne le rassura pas le moins du monde, comme si un pressentiment lui avait soufflé que le plus étonnant restait à venir.

— Alors, qui êtes-vous ?

L'homme posa la main sur son épaule. Une lueur familière brilla dans ses yeux, et il hésita quelques secondes avant de répondre :

— Je suis *toi*, Elliott…

Le médecin recula d'un pas puis se figea comme foudroyé ; l'homme termina sa phrase :

— … je suis toi, dans trente ans.

★

Moi, dans trente ans ?

Elliott écarta les bras en signe d'incompréhension.

— Que voulez-vous dire par là ?

L'homme ouvrit la bouche, mais n'eut pas le temps d'apporter d'autres explications : un flux de sang jaillit soudain de son nez et tomba à grosses gouttes sur le haut de son pyjama.

— Gardez la tête en arrière ! ordonna Elliott en sortant de sa poche une serviette en papier qu'il avait prise machinalement à la brasserie et qu'il plaqua sur le nez de celui qu'il considérait maintenant comme son patient.

— Ça va aller, dit-il d'un ton rassurant.

Pendant un instant, il regretta de ne pas avoir avec lui sa trousse médicale, mais l'hémorragie se calma rapidement.

— Venez avec moi, il faut vous mettre un peu d'eau sur le visage.

L'homme lui emboîta le pas sans faire d'histoires. Mais, lorsqu'ils arrivèrent près des toilettes, il fut subitement agité de petits tremblements, comme pris d'une crise d'épilepsie.

Elliott voulut l'aider, mais l'autre le repoussa avec force.

— Laisse-moi ! exigea-t-il en poussant la porte des sanitaires.

Freiné dans son élan, Elliott décida d'attendre

dehors. Il se sentait responsable de ce type et il n'était pas rassuré sur son état.

Quelle drôle d'histoire. D'abord cette ressemblance physique puis cette phrase sans queue ni tête – *je suis toi dans trente ans* – et maintenant ce saignement de nez et ces tremblements.

Putain, quelle journée !

Mais elle était loin d'être terminée, car au bout d'un moment, jugeant que son attente avait assez duré, il se décida à entrer dans les toilettes.

— Monsieur ?

C'était une pièce tout en longueur. Elliott inspecta d'abord la rangée de lavabos. Personne. L'endroit n'avait ni fenêtre ni sortie de secours. L'homme était donc dans l'une des cabines.

— Vous êtes là, monsieur ?

Pas de réponse. Craignant un évanouissement, le médecin se précipita pour ouvrir la première porte : personne.

Deuxième porte : personne.

Troisième, quatrième... dixième porte : vides.

En désespoir de cause, il leva les yeux vers le plafond : aucun panneau ne semblait avoir été déplacé.

C'était impossible et pourtant il fallait bien se rendre à l'évidence : l'homme avait disparu.

2

> *L'avenir m'intéresse : c'est là que j'ai l'intention de passer mes prochaines années.*

> Woody ALLEN

San Francisco
Septembre 2006
Elliott a *60* ans

Elliott ouvrit les yeux brusquement. Il était couché en travers de son lit. Son cœur battait à tout rompre et son corps était trempé de sueur.

Saleté de cauchemar !

Lui qui ne se souvenait jamais de ses rêves, il venait d'en faire un particulièrement étrange : il errait dans l'aéroport de San Francisco, lorsqu'il était tombé sur... un double de lui-même. Mais un double plus jeune qui paraissait aussi surpris que lui de le voir. Tout avait semblé si réel, si déconcertant, comme s'il avait *vraiment* été projeté trente ans en arrière.

Elliott appuya sur le bouton qui commandait l'ouverture des stores avant de jeter un coup d'œil inquiet au flacon posé sur sa table de chevet qui contenait des petites pilules dorées. Il ouvrit le récipient : il en restait neuf. La veille, avant de s'endormir, il en avait avalé une par curiosité. Était-elle à l'origine de son mystérieux songe ? Le vieux Cambodgien qui lui avait donné le flacon était resté évasif sur les effets du médicament, même s'il lui avait solennellement recommandé de ne « *jamais* le détourner de son usage ».

Elliott se mit debout péniblement et avança vers la baie vitrée qui ouvrait sur la marina. D'ici, il avait une vue imprenable sur l'océan, l'île d'Alcatraz et le Golden Gate. Le soleil levant projetait sur la ville une lumière grenat qui changeait de nuance à chaque minute. Au large, voiliers et ferries croisaient au son des cornes de brume et malgré l'heure matinale quelques joggers remontaient déjà le long de Marina Green, la vaste pelouse qui bordait le front de mer.

La vue de ces éléments familiers l'apaisa quelque peu. Cette nuit agitée serait vite oubliée, c'était certain. À peine venait-il de s'en persuader que la vitre lui renvoya une image troublante : une auréole sombre s'étalait sur la veste de son pyjama. Il baissa les yeux pour observer la tache plus attentivement.

Du sang ?

Son rythme cardiaque s'accéléra, mais cela ne dura pas. Il avait dû saigner du nez pendant la nuit et il avait transposé cet incident dans son rêve. C'était un processus classique, inutile de s'affoler.

À moitié rassuré, il passa dans la salle de bains pour prendre une douche avant de partir travailler. Il régla le jet et resta un moment immobile, perdu dans ses pensées, pendant que la pièce se remplissait de buée. Quelque chose le troublait encore. Mais quoi ? Il commençait à se déshabiller lorsqu'une intuition soudaine l'amena à fouiller la poche de son pyjama. Elle contenait une serviette en papier tachée de sang. Derrière les traînées d'hémoglobine, on pouvait distinguer le dessin du plus célèbre pont de la ville, surmonté de l'inscription : *Golden Gate Café – Aéroport de San Francisco.*

De nouveau, son cœur s'emballa et il lui fut cette fois plus difficile de retrouver son calme.

★

Était-ce sa maladie qui lui faisait perdre la tête ? Quelques mois plus tôt, au détour d'une

33

fibroscopie, il avait appris qu'il souffrait d'un cancer du poumon. À vrai dire, ça ne l'avait guère surpris : on ne fume pas impunément plus d'un paquet par jour pendant quarante ans. Les dangers, il les avait toujours connus et il les avait acceptés. C'était comme ça, c'était le risque de vivre. Il n'avait jamais cherché à avoir une vie aseptisée ni à se protéger coûte que coûte des heurts de l'existence. D'une certaine façon, il croyait au destin : les choses arrivent lorsqu'elles doivent arriver. Et l'homme se doit de les endurer.

Objectivement, c'était un sale cancer : l'une des formes qui évoluaient le plus vite et qui se soignaient le moins bien. Ces dernières années, la médecine avait progressé dans ce domaine et de nouveaux médicaments permettaient à présent de prolonger la durée de vie des malades. Mais c'était trop tard pour lui : la tumeur n'avait pas été détectée assez tôt et les examens avaient révélé la présence de métastases dans d'autres organes.

On lui avait proposé de suivre le traitement classique – un cocktail de chimiothérapie et de radiothérapie – mais il avait refusé. À ce stade, il n'y avait plus grand-chose à tenter. Le sort de la bataille était déjà scellé : il serait mort d'ici quelques mois.

Pour l'instant, il avait réussi à cacher sa maladie,

mais il savait qu'il ne pourrait pas le faire indéfiniment. Sa toux devenait persistante, ses douleurs au niveau des côtes et de l'épaule étaient de plus en plus vives et la fatigue le saisissait parfois à l'improviste, alors qu'il avait la réputation d'être increvable.

Ce n'était pas la douleur qui lui faisait peur. Ce qu'il redoutait par-dessus tout, c'était la réaction des autres. En particulier celle d'Angie, sa fille de vingt ans, étudiante à New York, et celle de Matt, son meilleur ami avec qui il avait toujours tout partagé.

Il sortit de la douche, se sécha rapidement et ouvrit sa penderie. Plus que jamais, il choisit ses habits avec soin : chemisette en coton égyptien et costume italien. Alors qu'il se préparait, l'ombre de la maladie s'effaça pour laisser place à un homme encore dans la force de l'âge, à l'allure virile. Jusqu'à récemment, grâce à un charme indéniable, il lui était arrivé de sortir avec de jeunes et jolies femmes ayant parfois la moitié de son âge. Mais ces relations ne s'éternisaient jamais. Tous ceux qui avaient côtoyé Elliott Cooper de près savaient que seules deux femmes comptaient dans sa vie. La première était sa fille Angie. La seconde s'appelait Ilena.

Elle était morte depuis trente ans.

★

Il sortit sur le trottoir et fut accueilli par le soleil, les vagues et le vent. Il prit un moment pour apprécier le jour qui se levait avant d'ouvrir la porte d'un petit garage. Là, il se glissa dans une antique Coccinelle orange, dernier vestige d'une période hippie depuis longtemps révolue. La capote baissée, il fit prudemment irruption sur le boulevard et remonta Fillmore Street vers les maisons victoriennes de Pacific Height. Comme dans les films, les rues de San Francisco, abruptes et escarpées, dessinaient de drôles de montagnes russes. Mais Elliott avait passé l'âge de jouer à faire décoller sa voiture au-dessus des croisements. Au niveau de California Street, il obliqua à gauche et croisa un *cable-car* qui transportait les premiers touristes vers Chinatown. Avant d'atteindre l'enclave chinoise, il s'engouffra dans un parking souterrain deux blocs derrière Grace Cathedrale et arriva au *Lenox Medical Center* où il travaillait depuis plus de trente ans.

En tant que chef du service de chirurgie pédiatrique, il était considéré comme l'un des pontes de l'hôpital. Mais cette promotion était récente et il l'avait obtenue sur le tard. Durant toute sa carrière, il s'était prioritairement consacré à ses patients, s'efforçant – chose rare pour un chirurgien – de ne pas s'en tenir à un simple discours technique, mais de prendre également en compte la dimension affective. Les honneurs ne l'impressionnaient pas et il n'avait jamais cherché à se constituer des réseaux de relations à coups de parties de golf ou de week-ends au lac Tahoe. Pourtant, lorsque les enfants de ses propres collègues devaient subir une intervention, c'était souvent vers lui qu'ils se tournaient, signe qui ne trompait guère dans ce métier.

★

— Tu peux m'analyser ça ?

Elliot tendit à Samuel Below, le responsable du labo de l'hôpital, un petit sachet en plastique dans lequel il avait récolté quelques résidus trouvés au fond du flacon de pilules.

— Qu'est-ce que c'est ?

— À toi de me le dire…

Il passa ensuite en coup de vent à la cafétéria, prit sa première dose de caféine puis monta au bloc pour se changer et retrouver son équipe composée d'un anesthésiste, d'une infirmière et d'une interne indienne dont il supervisait le travail. Le patient était un frêle bébé de sept mois prénommé Jack, souffrant d'une cardiopathie cyanogène. Cette malformation cardiaque qui empêchait la bonne oxygénation de son sang lui donnait un aspect cyanosé, raidissant ses doigts et colorant ses lèvres en bleu.

Alors qu'il se préparait à inciser le thorax du nourrisson, Elliott ne put s'empêcher de ressentir une sorte de trac, comme un artiste avant d'entrer en scène. Pour lui, les opérations à cœur ouvert gardaient quelque chose de miraculeux. Combien en avait-il réalisées ? Des centaines, des milliers sans doute. Cinq ans plus tôt, une équipe de télé avait même fait un reportage sur lui dans lequel on avait vanté ses « doigts d'or » capables de recoudre des vaisseaux sanguins aussi fins qu'une épingle, à l'aide de fils invisibles à l'œil nu. Mais chaque fois c'était la même tension, la même peur d'échouer.

L'opération dura plus de quatre heures pendant lesquelles les fonctions du cœur et des poumons furent désactivées pour être prises en charge par une machine. Tel un plombier du cœur, Elliott colmata le trou entre les deux ventricules et ouvrit une voie pulmonaire pour éviter le passage de sang bleu vers l'aorte. C'était un travail minutieux nécessitant beaucoup d'entraînement et de concentration. Ses mains ne tremblaient pas, mais une partie de son esprit était ailleurs : du côté de sa propre maladie dont il ne parvenait plus à faire abstraction et de son étrange rêve de la nuit précédente. Prenant soudain conscience de son inattention, il se sentit pris en faute et se recentra sur la tâche qu'il devait accomplir.

Lorsque l'intervention fut terminée, Elliott expliqua

aux parents du bébé qu'il était trop tôt pour se prononcer sur l'issue de l'opération. Pendant quelques jours, l'enfant serait suivi dans l'unité de soins intensifs où sa réspiration continuerait à être assistée jusqu'à ce que, petit à petit, les poumons et le cœur redeviennent pleinement fonctionnels.

Encore en tenue de chirurgien, il sortit sur le parking de l'hôpital. Le soleil, déjà haut dans le ciel, l'éclaboussa et, pendant une fraction de seconde, il eut un étourdissement. Il était épuisé, à bout de forces, la tête pleine de questions : était-ce bien raisonnable de nier sa maladie comme il le faisait ? Était-il prudent de continuer à opérer au risque de mettre la vie de ses patients en danger ? Que se serait-il passé ce matin s'il avait eu un malaise en pleine intervention ?

Pour stimuler sa réflexion, il alluma une cigarette et en aspira la première bouffée avec délectation. C'était la seule chose rassurante avec ce cancer : il pouvait maintenant fumer autant qu'il le voulait, ça ne changerait en rien l'évolution de la maladie.

Une légère brise le fit frissonner. Depuis qu'il savait qu'il allait mourir bientôt, il était devenu plus sensible à tout ce qui l'entourait. Il ressentait presque physiquement les palpitations de la ville comme si c'était un organisme vivant. L'hôpital dominait la petite colline de Nob Hill. D'ici, on devinait les vibrations qui montaient du port et des quais. Il aspira une dernière bouffée avant d'écraser sa cigarette. Sa décision était prise : il arrêterait d'opérer à la fin du mois et mettrait sa fille et Matt au courant de sa maladie.

Voilà, c'était fini. On ne revenait pas en arrière. Plus jamais il n'accomplirait la seule chose pour laquelle il se sentait réellement utile : soigner les autres.

Il considéra encore un instant cette décision brutale et se sentit vieux et misérable.

— Docteur Cooper ?

Elliott se retourna pour découvrir Sharika, son interne indienne qui lui faisait face. Elle s'était changée, abandonnant sa blouse de médecin pour un jean délavé et un joli débardeur à fines bretelles. Presque timidement elle lui tendit un gobelet de café. Tout en elle respirait la beauté, la jeunesse et la vie.

Elliott accepta la boisson et la remercia d'un sourire.

— Je suis venue vous dire au revoir, docteur.

— Au revoir ?

— Mon stage aux États-Unis se termine aujourd'hui.

— C'est vrai, se rappela-t-il, vous repartez à Bombay.

— Merci pour votre accueil et votre gentillesse. J'ai beaucoup appris avec vous.

— Merci pour votre aide, Sharika, vous serez un bon médecin.

— Mais vous, vous êtes un *grand* médecin.

Elliott secoua la tête, gêné par le compliment.

La jeune Indienne fit un pas en avant et se rapprocha de lui.

— Je m'étais dit... je m'étais dit qu'on pourrait peut-être sortir dîner ce soir.

En moins d'une seconde, sa belle peau cuivrée s'était teintée d'écarlate. Elle était timide et il lui en coûtait de faire cette proposition.

— Je suis désolé, mais ce n'est pas possible, répondit Elliott tout étonné de l'allure que prenait cette conversation.

— Je comprends, dit-elle.

Elle laissa passer quelques secondes avant d'ajouter :

— Mon stage se termine officiellement à dix-huit heures. Ce soir, vous ne serez plus mon supérieur et je ne serai plus sous vos ordres. Si c'est ça qui vous retient...

Elliott la regarda plus attentivement. Quel âge avait-elle ? vingt-quatre ? vingt-cinq ans tout au plus. Il n'avait jamais été ambigu avec elle et il se sentait mal à l'aise.

— Il ne s'agit pas de ça.

— C'est drôle, dit-elle, j'ai toujours cru que je ne vous étais pas indifférente…

Que devait-il lui répondre ? Qu'une partie de lui était déjà morte et que l'autre allait suivre ? Qu'on prétend que l'amour n'a pas d'âge, mais que c'est une connerie…

— Je ne sais pas quoi vous dire.

— Alors, ne dites rien, murmura-t-elle en tournant les talons.

Vexée, elle s'était déjà éloignée lorsqu'elle se rappela quelque chose.

— Ah, j'oubliais, dit-elle sans se retourner, le standard a reçu un message de la part de votre ami Matt : il vous attend depuis une demi-heure et commence à s'impatienter…

★

Elliott sortit en trombe de l'hôpital et attrapa un taxi à la volée. Il avait prévu de déjeuner avec Matt et il était très en retard.

Tout comme il existe des coups de foudre en amour, il y a quelquefois des coups de foudre en amitié. Matt et Elliott s'étaient rencontrés quarante ans plus tôt dans des circonstances particulières. En apparence, tout séparait les deux hommes : Matt était français, extraverti, amateur de jolies femmes et des plaisirs de la vie ; Elliott était américain, plutôt réservé et solitaire. Ensemble, ils avaient acheté une exploitation viticole dans Napa Valley, le *Périgord de la Californie*. Les vins qu'ils produisaient – un sympathique cabernet sauvignon et un chardonnay au goût d'ananas et de melon – avaient acquis une bonne réputation grâce aux efforts acharnés de Matt pour promouvoir leurs produits à travers le pays mais aussi en Europe et en Asie.

Pour Elliott, Matt était l'ami qui lui resterait lorsqu'il n'aurait plus d'ami, celui qu'il appellerait en pleine nuit s'il y avait un jour un cadavre à déménager.

En attendant, Elliott était à la bourre et Matt allait gueuler...

★

Le très sélect restaurant *Bellevue* où ils déjeunaient régulièrement s'élevait le long de l'Embarcadero et donnait sur le front de mer. Un verre à la main, Matt Delluca patientait depuis une demi-heure sur la terrasse en plein air qui ouvrait sur le Bay Bridge, Treasure Island et les gratte-ciel du quartier des affaires.

Il allait commander un troisième verre lorsque son téléphone sonna.

— Salut Matt, excuse-moi, mais je serai un peu en retard.

— Ne te presse surtout pas, Elliott. Avec le temps, j'ai fini par m'habituer à ta conception toute particulière de la ponctualité…

— Je rêve ! T'es quand même pas en train de me faire une scène ?

— Mais non, mon vieux : tu es médecin et sauver des vies te donne tous les droits, c'est bien connu.

— C'est ce que je pensais, tu me fais une scène…

Matt ne put s'empêcher de sourire. Son portable plaqué à l'oreille, il quitta la terrasse pour pénétrer dans la grande salle du restaurant.

— Tu veux que je commande pour toi ? proposa-t-il en s'approchant de l'étalage de crustacés. J'ai devant moi un crabe frétillant qui serait honoré de te servir de repas…

— Je te fais confiance.

Matt raccrocha et, d'un signe de tête au maître écailler, scella le sort du malheureux crustacé.

— Et un crabe rôti, un !

Un quart d'heure plus tard, Elliott traversa en courant la salle spacieuse décorée de bois précieux et de miroirs. Après s'être pris les pieds dans le chariot à desserts et avoir bousculé involontairement un serveur, il rejoignit enfin son ami à leur table habituelle. Ses premières paroles furent une mise en garde :

— Si tu tiens toujours à notre amitié, évite de prononcer dans la même phrase les mots « retard » et « encore ».

— Je n'ai rien dit, assura Matt. Nous avions retenu cette table pour midi, il est 13 h 20 mais je n'ai rien dit. Alors, comment s'est passé ton séjour au Cambodge ?

À peine Elliott eut-il prononcé quelques mots qu'il fut pris d'une quinte de toux.

Matt lui servit un grand verre d'eau pétillante.

— Tu ne tousses pas un peu trop, là ? s'alarma-t-il.

— T'angoisse pas.

— Tout de même... Tu ne devrais pas faire un petit exam ? Un scanner ou un truc comme ça...

— C'est moi le médecin, répondit Elliott en ouvrant le menu. Alors, qu'est-ce que tu m'as commandé ?

— Ne le prends pas mal, mais je trouve que tu as une sale tête.

— Ça va continuer longtemps, ces amabilités ?

— Je m'inquiète simplement pour toi : tu travailles trop.

— Je vais bien, je t'ai dit ! C'est juste cette mission au Cambodge qui m'a un peu fatigué...

— Tu n'aurais pas dû y aller, trancha Matt en esquissant une moue. Moi, l'Asie...

— Au contraire, c'était très enrichissant. Mais il m'est arrivé là-bas un drôle de truc.

— C'est-à-dire ?

— J'ai rencontré un vieux Cambodgien que j'ai aidé et qui, tel un génie sorti de sa lampe, a voulu savoir quel serait mon vœu le plus cher...

— Qu'est-ce que tu lui as répondu ?

— Je lui ai demandé un truc impossible.

— Que tu puisses enfin gagner une partie de golf ?

— Laisse tomber.

— Non, dis-moi...

— Je lui ai dit que j'aimerais revoir quelqu'un...

À ce moment, Matt comprit que son ami était sérieux et son visage changea d'expression.

— Et qui aimerais-tu revoir ? demanda-t-il tout en connaissant déjà la réponse.

— Ilena...

Une chape de tristesse s'abattit alors sur les deux hommes. Mais Elliott refusa de se laisser gagner par la mélancolie. Alors que le serveur apportait les entrées, il reprit son récit, racontant à son ami l'étonnante histoire du flacon de pilules et le cauchemar déstabilisant qu'il avait fait la nuit précédente.

Matt se voulut rassurant :

— Si tu veux mon avis, oublie cette histoire et lève un peu le pied au boulot.

— Tu ne peux pas imaginer à quel point ce cauchemar était troublant et semblait réel. C'était si… si bizarre de se revoir à trente ans.

— Tu crois vraiment que ce sont ces pilules qui t'ont fait cet effet-là ?

— Quoi d'autre ?

— Tu as peut-être bouffé quelque chose de pas très frais, hasarda Matt. Pour moi, tu fréquentes trop les traiteurs chinois…

— Arrête…

— Je suis sérieux. Ne mets plus les pieds chez Chow : son canard laqué, je suis sûr que c'est du chien…

★

Le reste du repas se déroula dans la bonne humeur. Matt avait ce don précieux de répandre une certaine allégresse autour de lui. Lorsque Elliott était en sa compagnie, il en oubliait ses idées sombres et ses soucis. La conversation avait pris un ton badin et roulait maintenant sur des sujets plus futiles.

— Tu as vu la fille près du bar ? demanda Matt en prenant une bouchée de bananes flambées. Elle me regarde, non ?

Elliott se retourna en direction du comptoir : une jolie naïade, jambes interminables et yeux de biche, sirotait langoureusement son Martini dry.

— C'est une call-girl, mon grand.

Matt secoua la tête.

— Pas du tout.

— Tu veux parier ?

— Tu dis ça parce que c'est *moi* qu'elle regarde.

— Quel âge tu lui donnes ?

— Vingt-cinq.

— Quel âge as-tu ?

— Soixante, admit Matt.

— Voilà pourquoi c'est une call-girl...

Matt accusa le coup quelques secondes avant de réagir avec véhémence.

— Je n'ai jamais été aussi en forme !

— On vieillit, mon pote, c'est comme ça, c'est la vie et je crois que tu devrais commencer à l'admettre.

Matt considéra cette évidence avec une légère angoisse.

— Bon je te laisse, annonça Elliott en se levant de table. Je vais encore aller sauver quelques vies. Et toi ? Quel est ton programme pour l'après-midi ?

Matt jeta un coup d'œil au bar pour constater avec tristesse que la naïade discutait avec un jeune client. Quelques années plus tôt, il aurait été capable d'aller arracher la belle à ce bellâtre, mais à présent, il se sentait dépassé, comme un boxeur sur le point d'effectuer le combat de trop.

— Ma voiture est au parking, dit-il en rattrapant Elliott. Je te raccompagne à l'hôpital. Le vieux que je suis a peut-être besoin d'un petit check-up...

3

Asseyez-vous une heure près d'une jolie fille, cela passe comme une minute. Asseyez-vous une minute sur un poêle brûlant, et cela passe comme une heure. C'est cela la relativité.

Albert EINSTEIN

San Francisco, 1976
Elliott a *30* ans

— On n'est pas bien ici ? demanda Matt en s'allongeant sur le sable et en désignant la baie immense entourée de collines qui s'étendait devant leurs yeux.

À cette époque, les deux amis ne s'étaient pas encore embourgeoisés. Pas question pour eux de perdre du temps en prenant le repas de midi au restaurant. À l'heure du déjeuner, ils préféraient se retrouver sur la plage pour avaler un hot dog sur le pouce avant de retourner travailler.

C'était une belle journée, baignée d'une lumière intense. Au loin, drapé d'une brume légère, le Golden Gate semblait flotter sur un tapis de nuages laiteux.

— T'as raison, on est mieux là qu'en prison ! approuva Elliott en mordant dans son sandwich.

— Aujourd'hui, j'ai une grande nouvelle à t'annoncer, déclara Matt mystérieusement.

— Vraiment ? C'est quoi ?

— Patiente encore un peu, mon grand, tu auras la surprise au dessert…

Autour d'eux, venu profiter des derniers feux de l'été indien, s'ébattait un groupe de jeunes gens vêtus à la dernière mode : pantalons pattes d'éléphant, sous-pulls satinés et rouflaquettes pour les hommes ; longues tuniques bariolées, vestes peau de pêche et colifichets pour les femmes.

Matt alluma son transistor et tomba sur le tube du moment : la mélodie accrocheuse d'*Hotel California* jouée par les Eagles.

Tout en sifflotant le refrain de la chanson, il parcourut la plage du regard.

— Tu as vu la fille sur ta droite, elle nous observe, non ?

Elliott se retourna discrètement : allongée sur une serviette, une jolie jeune femme, gracieuse comme une nymphe, dégustait nonchalamment une glace italienne. Elle croisa ses jambes de deux mètres, et envoya une œillade dans leur direction.

— C'est bien possible.

— Tu la trouves comment ? demanda Matt en lui rendant son salut.

— Je te rappelle qu'il y a *déjà* quelqu'un dans ma vie.

Matt balaya l'argument d'un revers de la main :

— Est-ce que tu sais que seuls 5 pour cent des mammifères vivent en couple ?

— Et alors ?

— Qu'attends-tu pour rejoindre les 95 pour cent qui ne se compliquent pas la vie avec ces principes ?

— Je ne sais pas si Ilena serait du même avis que toi…

Matt engloutit la dernière bouchée de son hot-dog tout en jetant un coup d'œil inquiet vers son ami.

— Tu es sûr que ça va, toi ? T'as une sale tête aujourd'hui.

— Arrête avec tes compliments, tu me gênes.

— C'est que je m'inquiète pour toi : tu travailles trop.

— Le travail, c'est la santé.

— J'ai compris : tu es encore allé chez ce traiteur chinois, juste en bas de chez toi…

— Monsieur Chow ?

— Oui. Tu as déjà goûté à son canard à la pékinoise ?

— Il est très bon.

— Il paraît que c'est du chat…

Un vendeur de glaces ambulant les interrompit :

— Quel parfum pour ces messieurs : pistache ? caramel ? noix de coco ?

Elliott s'en remit aux conseils de son ami qui se fit un plaisir de commander pour deux. À peine le marchand s'était-il éclipsé, que la conversation reprit où elle s'était arrêtée :

— Comment s'est déroulé ton week-end en Floride ? Tu sembles préoccupé…

— Il m'est arrivé quelque chose d'étrange hier soir, avoua Elliott.

— Je t'écoute.

— J'ai rencontré quelqu'un à l'aéroport.

— Une femme ?

— Un homme… d'une soixantaine d'années.

Alors que Matt fronçait les sourcils, Elliott lui raconta son étrange confrontation avec ce mystérieux visiteur qui avait fini par disparaître dans les toilettes de l'aéroport.

Matt laissa passer plusieurs secondes avant de grimacer :

— Mouais, c'est plus grave que ce que je pensais.

— Je te jure que c'est vrai.

— Crois-moi, mec : tu devrais lever un peu le pied au boulot.

— T'inquiète pas pour moi.

— Pourquoi tu voudrais que je m'inquiète, Elliott ? Tu me dis qu'un autre toi-même est venu du futur pour faire gentiment la causette avec toi. C'est tout à fait normal, non ?

— Très bien, parlons d'autre chose.

— Comment va ta chère Ilena ?

Elliott tourna la tête vers l'océan et pendant un instant son regard se perdit du côté des minces nappes de brume qui s'enroulaient autour des piliers métalliques du Golden Gate.

— Elle veut qu'on ait un enfant, répondit-il songeur.

Le visage de Matt s'illumina :

— C'est formidable ça, je pourrai en être le parrain ?

— Je ne veux pas d'enfant, Matt.

— Ah bon ? Pourquoi ?

— Tu le sais bien : le monde est devenu trop dangereux, trop imprévisible…

Matt leva les yeux au ciel.

— Tu divagues, mon vieux. Tu seras là pour le protéger ton mouflet, Ilena aussi et même moi j'y prendrai ma part. C'est à ça que servent les parents, non ?

— Facile à dire pour toi : tu mènes une vie de play-boy, tu changes de petite amie tous les deux jours. Je ne te sens pas sur le point de fonder une famille…

— C'est parce que je n'ai pas eu la chance de croiser une fille comme Ilena, moi. Il n'y a qu'à toi que ça arrive ce genre de truc. Il n'y en avait qu'une sur terre et c'est toi qui l'as eue. Mais tu es trop bête pour t'en rendre compte…

Elliott détourna le regard et ne répondit rien. Une grosse vague s'abattit sur la plage et projeta un peu d'écume dans leur direction. Il ne fallut que quelques minutes pour que la bonne humeur refasse son apparition et que la conversation roule sur des choses plus légères.

Lorsque Matt jugea que le moment de « la surprise » était venu, il fouilla dans son sac pour en sortir une bouteille de *pink champagne*.

— Qu'est-ce qu'on fête ? demanda Elliott.

Matt avait du mal à cacher son excitation.

— Ça y est, je l'ai enfin trouvé, vieux ! avoua-t-il en faisant sauter le bouchon.

— La femme de ta vie ?

— Non !

— Le moyen de résoudre la faim dans le monde ?

— Notre terrain, mec ! Notre future exploitation ! Un superbe terrain au sommet d'une colline avec une grande maison de bois…

Matt avait passé son brevet de pilote quelques années auparavant. Il avait acheté un hydravion et gagnait bien sa vie en baladant les touristes au-dessus de la baie. Mais il nourrissait depuis long-temps le projet un peu fou de monter avec Elliott sa propre exploitation vinicole dans Napa Valley.

— Je t'assure que c'est le bon moment pour investir, expliqua-t-il euphorique. À l'heure actuelle, il n'y a encore que quelques domaines dans la vallée, mais le vin, c'est l'avenir de la Californie. C'est notre or rouge, tu comprends… Si nous lan-çons l'affaire tout de suite, à nous la fortune !

Moyennement convaincu mais satisfait du bon-heur de son ami, Elliott promit de venir voir le terrain le week-end suivant et l'écouta avec amu-sement parler de ses rêves de grandeur jusqu'à ce que l'alarme de sa montre le rappelle à la réalité.

— Bon, je te laisse, dit-il en se levant et en s'étirant, je vais encore aller sauver quelques vies. Et toi ? Quel est ton programme pour l'après-midi ?

Matt se retourna pour vérifier que la belle naïade n'avait pas bougé. Comme si elle l'attendait, elle lui lança un clin d'œil explicite.

Matt rayonna. Il était jeune, il était beau, il avait la vie devant lui.

— Je crois que quelqu'un me réclame pour une petite auscultation…

★

Bloqué dans la circulation, le taxi se traînait le long de Hyde Street. Elliott paya la course et claqua la portière. L'hôpital n'était plus très loin : à ce rythme il irait plus vite à pied. Il alluma une cigarette et remonta la rue d'un pas vif. Il ressentait toujours une angoisse diffuse chaque fois qu'il s'approchait de son lieu de travail. Les mêmes questions revenaient sans cesse. Serait-il à la hauteur de ce qu'on attendait de lui ? Prendrait-il les bonnes décisions ? Perdrait-il des patients ?

Il n'était pas encore à un âge de la vie où l'on se sent blindé. Il n'avait pas de carapace, pas d'armure intérieure pour se protéger. Jusqu'à présent, il avait réalisé un parcours sans faute : études brillantes à Berkeley où il avait sauté une classe, externat à Boston, quatre ans d'internat et plusieurs spécialisations pédiatriques pour son clinicat. Chaque fois, il s'en était sorti avec des évaluations élogieuses.

Pourtant, il n'était toujours pas certain d'être fait pour ce métier. Bien sûr, il y avait cette gratification à s'occuper des autres, à se sentir utile. Parfois, à la fin d'une bonne journée, lorsqu'il avait l'impression que son intervention avait été décisive, il quittait son boulot dans une sorte d'euphorie. Il prenait sa voiture et roulait à pleine vitesse le long de la marina. Il s'était battu pour la vie et il avait gagné. Ces soirs-là, pendant quelques heures, il se sentait un peu l'égal de Dieu. Mais cette béatitude ne durait jamais bien longtemps. Il y avait toujours un lendemain, un surlendemain où un patient « qui ne devait pas mourir » lui claquait entre les doigts.

Il regarda sa montre, écrasa son mégot et pressa le pas. La silhouette de l'hôpital se découpait maintenant à une centaine de mètres devant lui.

Suis-je vraiment fait pour ça ? se demanda-t-il de nouveau.

Quel genre de médecin allait-il devenir ? Il avait choisi cette voie pour tenir une vieille promesse, après qu'un événement important fut survenu dans sa vie. Il ne regrettait pas son choix, mais certains jours il enviait la vie plus insouciante de Matt. Depuis dix ans il n'avait plus le temps de rien : ni de lire, ni de faire du sport, ni de s'intéresser à autre chose qu'à son métier.

Il pénétra dans le hall de l'hôpital, attrapa sa blouse et monta jusqu'au deuxième étage. Le miroir de l'ascenseur lui renvoya l'image d'un homme fatigué. Ça faisait une éternité qu'il n'avait pas dormi huit heures d'affilée. Depuis que les nuits de garde lui avaient appris à fractionner son sommeil et à s'endormir en boule par tranches de dix minutes, il ne parvenait plus à faire de grasses matinées.

Il poussa la porte d'une salle au carrelage brillant où l'attendait Ling, un interne des urgences.

— Je voudrais votre avis pour un cas pédiatrique, docteur Cooper, annonça-t-il tout en le présentant à M. et Mme Romano, le couple qui l'accompagnait.

Lui, petit brun, le type italo-américain qui inspire immédiatement la sympathie. Elle, plus grande, blonde, nordique. Une belle alliance des contraires.

Ils ne sont pas là pour eux, mais pour leur fille Anabel qui vient d'arriver dans le service et repose inanimée sur l'un des lits de la chambre.

— Sa mère l'a trouvée comme ça en rentrant à midi. On pense qu'elle ne s'est pas réveillée ce matin, expliqua Ling. J'ai demandé un bilan complet et le Dr Amendoza a fait un examen au tomodensitomètre.

C'était un nouvel appareil d'imagerie médicale qui commençait à se répandre dans les hôpitaux du monde entier sous le nom de « scanner ».

Elliott s'approcha du corps dans le coma. Anabel était une jeune fille d'une quinzaine d'années qui avait emprunté à la fois la blondeur de sa mère et la candeur de son père.

— A-t-elle souffert récemment de maux de tête ou de nausées ?

— Non, répondit la mère.

— Elle se drogue ?

— Non !

— Est-il possible qu'elle se soit cogné la tête en dormant ou qu'elle soit tombée de son lit ?

Non plus.

Avant même d'ausculter l'adolescente, Elliott sentit la vie qui s'échappait et la mort, tapie dans un coin de la salle, qui attendait son heure.

Le début de l'auscultation s'annonçait pourtant rassurant : Anabel respirait bien, son cœur et ses poumons fonctionnaient normalement. Elliott vérifia ensuite son réflexe cornéen. Là encore, rien à signaler.

Mais les choses se gâtèrent lors de l'examen des pupilles. En remuant doucement la tête de sa patiente de droite à gauche, Elliott constata que ses yeux ne suivaient pas le mouvement de la tête. Puis, lorsqu'il appuya sur son sternum, le poignet de la jeune fille se rétracta de façon inquiétante.

— Ce n'est pas bon signe, n'est-ce pas ? demanda M. Romano. Il y a un problème au niveau du cerveau ?

Elliott resta prudent :

— Il est trop tôt pour se prononcer. Attendons les résultats de l'examen.

Lesquels résultats arrivèrent quelques minutes plus tard. Lorsque le médecin plaça la radiographie devant le mur lumineux, il se doutait déjà de ce qu'il allait y trouver. Comme on était dans un hôpital universitaire, il laissa à l'interne le soin d'annoncer le diagnostic :

— Un œdème au niveau du cervelet ?

— Exact, confirma Elliott à regret. Un œdème cérébelleux hémorragique.

Il quitta la chambre noire pour retrouver les parents d'Anabel.

— Alors, docteur ? demandèrent-ils en chœur dès qu'il eut franchi la porte.

Il les regarda avec compassion. Il aurait voulu leur répondre quelque chose de léger comme « *tout va bien, la petite va se réveiller d'un instant à l'autre* ». Mais ce n'était pas la vérité.

— Je suis profondément désolé, mais votre fille a eu une attaque cérébrale et son état est désespéré.

Il y eut un blanc, un moment de silence qui sembla s'éterniser jusqu'à ce que les deux parents comprennent la portée de cette information. La mère étouffa un cri tandis que le père refusait de baisser les bras :

— Mais elle respire ! Elle est encore vivante !

— Pour l'instant, mais elle a un œdème qui va grossir jusqu'à altérer ses capacités respiratoires et elle va faire un arrêt.

— On peut la mettre sous respirateur ! réclama la mère.

— Oui, madame, on pourrait la mettre sous respirateur, mais ça ne changerait rien.

Chancelant, le père s'approcha du corps de sa fille.

— Comment… comment a-t-elle pu faire une attaque cérébrale ? Elle n'a même pas quinze ans…

— Ça peut arriver n'importe quand et à n'importe qui, précisa Elliott.

Un soleil éclatant s'infiltrait par la fenêtre, éclaboussant la pièce d'une lumière insolente et caressant les cheveux d'or de l'adolescente. Elle semblait seulement endormie et il était difficile de croire qu'elle ne se réveillerait jamais.

— Mais vous ne tentez même pas une opération ? s'étonna la mère encore incrédule.

Son mari s'était rapproché d'elle et lui prit la main. Elliott la chercha du regard et dit d'une voix très douce.

— C'est fini, madame Romano, je suis désolé.

Il aurait aimé rester avec eux plus longtemps, prendre à son compte une infime partie de leur malheur, trouver quelques paroles réconfortantes, même s'il savait qu'il n'en existait aucune dans cette situation.

Mais déjà une infirmière le réclamait. Il avait une opération prévue pour 15 heures et il était en retard.

Avant de quitter la pièce, il aurait dû faire son métier jusqu'au bout et demander aux parents s'ils étaient d'accord pour un prélèvement d'organe. S'ensuivrait alors une discussion surréaliste pendant laquelle il devrait les convaincre que la mort de leur fille pourrait peut-être contribuer à sauver d'autres êtres humains. Oui, Elliott aurait dû poursuivre son métier jusqu'au bout, mais aujourd'hui il ne se sentait pas le courage de le faire.

Alors, il sortit de la salle tout à la fois abattu et débordant de colère. Avant de monter au bloc, il s'arrêta aux toilettes pour se passer de l'eau sur le visage.

Je n'aurai jamais d'enfants, jura-t-il en se regardant dans le miroir. *Je n'aurai jamais d'enfants pour que jamais ils ne meurent !*

Tant pis si Ilena ne le comprenait pas...

*

**Orlando, Floride
1976**

Le soir tombait sur le grand parc zoologique de *l'Ocean World*. Tandis que les derniers rayons du soleil déformaient les ombres des cyprès, une foule clairsemée quittait peu à peu la réserve marine, ravie de sa rencontre avec les dauphins, les tortues géantes et les lions de mer.

Ilena se pencha au-dessus du bassin aux orques

pour encourager Anouchka, la plus grosse des « baleines tueuses », à venir au bord de l'eau.

— Salut, ma belle !

La jeune femme attrapa la nageoire de l'animal et l'incita à se mettre sur le dos.

— Pas de panique, ça ne va pas te faire mal, rassura-t-elle avant de lui planter une aiguille dans la chair pour prélever un peu de son sang.

C'était toujours une opération délicate. Si les orques étaient les cétacés les plus intelligents, c'étaient aussi les plus féroces. Malgré son allure sympathique, Anouchka restait un monstre de six mètres de long et de quatre tonnes, capable de vous assommer d'un coup de queue ou de vous trancher un membre avec sa mâchoire acérée pourvue d'une cinquantaine de dents. Pour chacune de ses interventions, Ilena s'attachait à obtenir la participation volontaire de l'animal, en présentant les soins comme un jeu. Généralement, ça se passait bien. Elle avait ce *feeling* particulier avec les animaux qui faisait d'elle une excellente soignante.

— Voilà, c'est fini, dit-elle en retirant l'aiguille.

Pour récompenser le mastodonte, elle lui jeta un seau de poissons congelés et lui prodigua quelques caresses.

Ilena était passionnée par son métier. En tant que vétérinaire résidente, elle était responsable de la santé physique et mentale de tous les animaux du parc. Elle supervisait l'entretien des bassins, la préparation de la nourriture, et participait également à la formation des dresseurs. Cumuler autant de responsabilités était assez inhabituel pour quelqu'un de son âge, une femme qui plus est. Il faut dire qu'elle s'était battue d'arrache-pied pour obtenir ce poste. Depuis toute petite, elle s'était passionnée pour le monde marin et plus particulièrement pour les cétacés. En plus de son diplôme de vétérinaire, elle s'était spécialisée dans la biologie marine et avait suivi une formation poussée de psychologie animale. Mais dans ce domaine, les places étaient chères, les débouchés extrêmement rares et les chances de travailler avec des dauphins et des orques presque aussi faibles que celles de devenir astronaute. Pourtant, elle s'était accrochée à son rêve et elle avait eu raison. Car cinq ans plus tôt, en 1971, Walt Disney avait choisi la petite ville d'Orlando pour y construire *Disney World*, son gigantesque parc d'attractions. Devant l'affluence touristique, Orlando était passée du rang de bourgade rurale à celui de première attraction de Floride. *L'Ocean World* avait alors suivi le sillage de Mickey en installant dans la région le plus grand parc zoologique marin du pays. Un an avant l'ouverture officielle du parc, Ilena avait déjà fait le siège de la direction pour obtenir un poste qui avait été promis à un vétérinaire plus âgé. On avait accepté de la prendre à l'essai et elle avait finalement été titularisée à la place de son confrère ! Ça, c'était le bon côté de l'Amérique : la compétence commençait enfin à primer sur l'âge, le sexe ou l'origine sociale.

Elle adorait son métier. Elle n'ignorait pas que ses amis de Greenpeace tiquaient parfois sur la captivité des animaux, pourtant il fallait reconnaître que l'*Ocean World* n'était pas insensible à l'environnement. Ilena venait d'ailleurs d'obtenir de sa direction qu'elle finance un vaste programme de protection des lamantins[1].

La jeune femme quitta la zone des bassins et rejoignit les bâtiments administratifs. Elle étiqueta le flacon contenant l'échantillon de sang puis le déposa au petit laboratoire pour en commencer l'analyse. Avant de se mettre au travail, elle éprouva le besoin de faire une halte aux toilettes pour s'asperger le visage d'eau froide. Toute la journée elle s'était sentie patraque.

Comme elle levait la tête vers le miroir placé au-dessus des lavabos, elle remarqua une larme qui coulait sur son visage. C'était venu sans qu'elle s'en aperçoive vraiment.

---

1. Mammifères marins au corps massif terminé par une nageoire arrondie.

— Quelle idiote ! lâcha-t-elle en essuyant ses yeux rougis avec son avant-bras.

En fait, elle savait très bien ce qui n'allait pas : elle n'arrêtait pas de repenser à sa dernière discussion avec Elliott. À la réaction qu'il avait eue lorsqu'elle lui avait parlé d'avoir un enfant. C'était comme ça chaque fois et elle ne comprenait pas sa réticence qu'elle interprétait comme un refus d'engagement.

Pourtant, elle ne doutait pas une seconde de son amour. Leur relation brûlait d'un feu intense, alimenté par le désir de toujours vouloir épater l'autre, de le combler, de l'étonner...

Mais cet amour pouvait-il résister à l'usure du temps ? Elle allait avoir trente ans et, en apparence, elle rayonnait : on était en Floride, des mecs lui tournaient autour et elle était consciente de son pouvoir de séduction. Mais pour combien d'années encore ? Sa jeunesse s'en allait doucement. Déjà, elle sentait qu'elle n'avait plus le même physique, la même forme, la même fraîcheur que les gamines de dix-huit ou vingt ans qu'elle croisait sur la plage ou dans les gradins lors des spectacles.

En soi, vieillir ne la gênait pas plus que ça. Mais autour d'elle, les mentalités évoluaient : on parlait d'amour libre et de révolution sexuelle et ces transformations ne lui plaisaient pas du tout. Car elle voulait inscrire son couple dans la durée et n'avait aucune envie de voir l'homme qu'elle aimait s'en aller essayer toutes les positions du Kâma Sûtra avec d'autres femmes.

Elle but un peu d'eau et se sécha les yeux avec un Kleenex.

Peut-être ne montrait-elle pas assez à Elliott à quel point elle était attachée à lui. Elle était d'une nature pudique et les mots d'amour n'étaient pas son fort. Mais quand on aime, pas besoin de faire de discours : on le sait, on le sent, c'est tout. Et puis, quand une femme demande à un homme d'être le père de ses enfants, c'est assez clair, non ?

Et c'est justement parce qu'elle l'aimait qu'elle voulait avoir un bébé avec lui. Elle ne faisait pas partie de ces femmes en mal de grossesse qui voulaient un enfant coûte que coûte, uniquement pour elles-mêmes. Elle avait envie d'en faire un *avec Elliott*, comme un prolongement de leur histoire d'amour.

Sauf que lui n'en avait visiblement pas envie.

Et qu'elle ne comprenait pas pourquoi.

Elle se doutait que le désir d'avoir un enfant était intimement lié à la trajectoire personnelle de chacun et à sa propre histoire familiale. Au Brésil, Ilena avait eu la chance d'être élevée dans une famille modeste, mais aimante et elle savait qu'elle s'épanouirait dans la maternité. Elliott, lui, avait eu des rapports conflictuels avec ses parents. Était-ce de là que venait son blocage ?

Pourtant, elle ne doutait pas de ses capacités à rendre un enfant heureux. Plusieurs fois, en allant le chercher à l'hôpital, elle l'avait vu à l'œuvre dans son travail. C'était un chirurgien pédiatre et il savait y faire avec ses jeunes malades. Il était solide et équilibré, ni immature ni égoïste comme certains des hommes qu'elle voyait évoluer autour d'elle. Elle l'imaginait aisément en père affectueux, à l'écoute de ses enfants. À tel point qu'elle avait plusieurs fois songé à arrêter la pilule sans le lui dire pour simuler un « accident » et le mettre devant le fait accompli, mais en faisant cela, elle aurait eu l'impression de rompre la confiance qu'ils avaient l'un envers l'autre.

Alors, quel était le problème ?

Elle connaissait beaucoup de choses sur lui : sa détermination, son altruisme, son intelligence, son odeur, le goût de sa peau, le tracé de ses vertèbres, sa fossette lorsqu'il souriait…

Mais n'y a-t-il pas toujours un détail qui nous échappe chez celui que l'on aime ? Et n'est-ce pas cette part d'inconnu qui fait perdurer l'amour ?

En tout cas, il y avait au moins une chose dont elle était certaine : l'homme de sa vie, le père de ses futurs enfants, c'était lui et pas un autre.

Et ce bébé, elle le ferait avec lui ou elle ne le ferait pas.

★

San Francisco
1976

Au volant de sa Coccinelle, Elliott rentrait chez lui, maussade. Ce soir, pas de pointe de vitesse. Il s'était battu pour la vie et il avait perdu. Il n'était pas Dieu, juste un petit médecin insignifiant.

La nuit tombait doucement. Les lampadaires et les phares des voitures s'allumaient de concert. Fatigué, déstabilisé, le médecin repassait dans sa tête le film des deux derniers jours : son différend avec Ilena, sa rencontre à l'aéroport, la veille, avec cet homme étrange et cette petite Anabel qu'il avait été incapable de sauver.

Pourquoi avait-il toujours l'impression que sa vie lui échappait ? Qu'il n'en était pas vraiment aux commandes ?

Perdu dans ses pensées, il rétrograda un peu tard en abordant le croisement de Filmore et d'Union Street. Alors que sa voiture était légèrement déportée vers le trottoir, il sentit comme une résistance suivie d'un bruit sourd.

71

Un pneu qui éclate ?

Il coupa le moteur et sortit de l'habitacle. Il inspecta ses pneus puis son pare-choc.

Rien.

Il allait poursuivre sa route lorsqu'il entendit comme un cri plaintif, une sorte de couinement sur le trottoir d'en face.

Il leva la tête pour apercevoir un petit chien que le choc avait projeté de l'autre côté de la route.

Manquait plus que ça... soupira-t-il.

Il traversa la rue en direction de l'animal, un labrador au poil beige, couché sur le flanc, la patte avant droite recourbée.

— Allez, bouge-toi ! lança-t-il au chiot, en espérant ne pas l'avoir blessé.

Mais le chien ne bougea pas d'un pouce.

— Casse-toi ! s'emporta-t-il en accompagnant sa menace d'une amorce de coup de pied.

De nouveau, l'animal émit un cri étouffé où perçait une douleur évidente. Sa patte ensanglantée le privait de tout mouvement, mais Elliott n'en fut pas ému pour autant. Il n'avait jamais été très porté sur les animaux. Son affaire à lui c'était les êtres humains : les hommes, les femmes, les enfants, les vieillards... Tous les patients qu'il soignait à l'hôpital. Mais les animaux...

Il haussa les épaules et tourna le dos au labrador.

Il n'allait pas perdre davantage de temps avec ce clébard.

Il regagna sa voiture et tourna la clé de contact sans état d'âme.

Bien sûr, à sa place, Ilena ne serait pas partie comme une voleuse. Bouleversée, elle aurait soigné le chien puis se serait débrouillée pour retrouver son propriétaire.

Bien sûr, Ilena…

Comme si elle était assise à côté de lui sur le siège passager, il l'entendit presque murmurer : « Celui qui n'aime pas les animaux n'aime pas vraiment les gens. »

Des conneries tout ça ! pensa-t-il en secouant la tête. Mais il arrêta néanmoins sa voiture vingt mètres plus loin et revint sur ses pas à contrecœur.

Même à quatre mille kilomètres de distance, cette femme faisait de lui ce qu'elle voulait !

— Allez, mon vieux, dit-il en installant le chien sur la banquette arrière, on va soigner tout ça.

★

Elliott arriva avec soulagement à la marina. L'enfilade des résidences qui bordaient l'océan mélangeait avec bonheur des éléments architecturaux d'époques et de traditions diverses. Des maisons flanquées de tourelles voisinaient avec des habitations plus modernes, toutes de verre et d'acier, pour déboucher – par on ne sait quelle magie – sur un ensemble asymétrique mais plein d'harmonie.

La nuit était complètement tombée et le vent soufflait fort. En front de mer, sur la longue bande de pelouse, un original à l'allure de hippie s'amusait à faire planer un cerf-volant orné de petits lampions.

Le médecin se gara devant son entrée et souleva le chiot avec précaution pour le sortir du véhicule. Chargé de ce remuant « paquet », il se dirigea vers une jolie maison de style méditerranéen.

Un tour de clé et Elliott pénétra dans l'appartement qu'il avait acheté avec l'argent de son héritage. L'endroit était atypique : la maison datait d'une cinquantaine d'années mais elle avait été entièrement rénovée par l'architecte John Lautner, le spécialiste des demeures futuristes qui puisait son inspiration dans les œuvres de science-fiction.

Elliott appuya sur l'interrupteur et l'intérieur de la maison se teinta d'une lumière bleutée ondulante semblable au reflet des vagues.

Puis il installa le petit labrador sur le canapé, se saisit de sa trousse médicale et examina l'animal. À part une vilaine plaie ouverte à la patte, le chiot ne souffrait que de quelques contusions. Bizarrement, il ne portait pas de collier et lui lançait des regards méfiants.

— Écoute, Rastaquouère, tu ne m'aimes pas et c'est réciproque ! N'empêche que tu as besoin de moi, alors tu vas rester bien tranquille si tu veux que je te soigne...

Après cet avertissement, il désinfecta la plaie et s'appliqua à faire un pansement.

— Voilà, repose-toi cette nuit et demain, direction le chenil ! lança-t-il à l'animal en s'éloignant du canapé.

Il traversa le séjour et la bibliothèque avant d'atteindre la cuisine. Ces trois espaces se partageaient la même pièce immense qui donnait sur un jardin intérieur où trônait un cèdre jaune d'Alaska savamment mis en valeur par un jeu d'éclairage.

Dans le réfrigérateur, Elliott attrapa une bouteille de vin blanc entamée et s'en servit un verre qu'il monta déguster à l'étage. Là, derrière une double baie vitrée, un toit en terrasse s'avançait à la manière d'un ponton et donnait l'impression de se jeter dans l'océan.

Son verre à la main, le médecin s'installa dans un fauteuil en osier et s'abandonna au vent qui balayait son visage.

Brièvement, le visage d'Anabel Romano traversa son esprit.

Journée de merde, pensa-t-il en fermant les yeux.

À cet instant, il ne pouvait s'imaginer que celle-ci était loin d'être terminée...

4

Et garde tes rêves, [...]. Tu ne peux jamais savoir à quel moment tu en auras besoin.

Carlos RUIZ ZAFÓN

San Francisco
Septembre 2006
Elliott a *60* ans

La nuit était tombée depuis longtemps lorsque Elliott arriva à la Marina. Il se gara dans son allée et pénétra dans la jolie maison méditerranéenne qu'il habitait depuis trente ans. Dès son entrée, un détecteur de présence actionna automatiquement l'éclairage intérieur : une lumière bleutée ondulante qui donnait l'impression que la pièce baignait dans le reflet des vagues.

Le médecin traversa le séjour et la bibliothèque

avant d'atteindre la cuisine. Depuis le départ de sa fille pour New York, la maison était vide et calme. Rastaquouère, son vieux labrador, était mort depuis douze ans et aucun animal ne l'avait jamais remplacé. Dans le réfrigérateur, Elliott attrapa une bouteille de vin blanc et s'en servit un verre. À cause de la douleur qui irradiait de ses reins, il monta difficilement la volée de marches métalliques qui conduisait à l'étage. Il s'arrêta quelques secondes dans sa chambre et ouvrit le tiroir de sa table de nuit pour s'emparer du flacon de pilules auquel il n'avait cessé de penser toute la journée.

Il sortit ensuite dans le jardin en terrasse qui offrait une vue spectaculaire sur le port de plaisance et la baie.

Avec plaisir, il retrouva les ululements familiers du *Wave Organ*, une drôle de construction à la pointe de la digue qui produisait des sons aléatoires au rythme des vagues qui s'engouffraient dans ses tuyaux.

Un truc comme ça ne peut exister qu'à San Francisco, pensa-t-il en s'installant dans son vieux fauteuil en osier.

Le vent qui balayait son visage le fit frissonner. Comme il l'avait fait le matin même, il regarda les neuf pilules du flacon avec un mélange de fascination et d'incrédulité.

Il ne savait pas du tout ce qu'elles contenaient, mais il avait très envie de retenter l'expérience de la veille. À vrai dire, il ne se faisait pas d'illusion : ces pilules n'étaient sans doute pour rien dans son rêve de la nuit précédente.

N'empêche que c'était tentant de réessayer…

Lentement, il fit tomber l'une des gélules au creux de sa main et eut un ultime moment d'hésitation.

Et si c'était du poison ou une de ces saloperies exotiques qui lui brouillerait l'esprit ?

Possible, mais que risquait-il vraiment ? De toute façon, le cancer aurait bientôt sa peau.

Un peu plus tôt ou un peu plus tard… pensa-t-il en avalant le comprimé avec une gorgée de vin.

D'abord, il ne se passa rien. Il se cala plus profondément dans son fauteuil et attendit. La maladie le faisait se sentir vieux et usé.

Il se repassa mentalement le film des dernières heures, songeant à sa décision soudaine et douloureuse de ne plus opérer après la fin du mois.

Journée de merde, pensa-t-il avant de fermer les yeux.

Et de s'endormir…

5

Deuxième rencontre

La meilleure preuve qu'un voyage dans le temps est impossible est que nous n'avons pas été envahis par des hordes de touristes du futur.

Stephen HAWKING

San Francisco
Septembre 1976
Elliott a *30* ans

— Alors, on se prélasse ?

Elliott ouvrit les yeux dans un sursaut si brusque qu'il en tomba de son fauteuil. Le nez dans la poussière, il leva les yeux vers le ciel. Une silhouette opaque se détachait dans la lueur des étoiles : celle de l'homme qu'il avait rencontré la veille à l'aéroport. Les bras croisés sur la poitrine, celui-ci le regardait avec un léger sourire, visiblement satisfait du bon tour qu'il venait de jouer.

— Qu'est-ce que vous foutez sur ma terrasse ? fulmina le jeune médecin.

— Chez toi, c'est chez moi... lui rétorqua son étrange visiteur.

Partagé entre la surprise et la vexation, Elliott se releva avec fougue. Les poings serrés, il s'avança vers son interlocuteur et pendant quelques secondes, les deux hommes se toisèrent en silence. Ils avaient exactement la même taille.

— Je peux savoir à quoi vous jouez ? demanda Elliott d'un ton menaçant.

L'autre éluda la question en répliquant doucement :

— Tu ne veux pas comprendre, n'est-ce pas ?

— Ne pas comprendre quoi ?

— La vérité...

Elliott haussa les épaules.

— Et c'est quoi, la vérité ?

— La vérité, c'est que je suis *toi*.

— La vérité, c'est que vous êtes fou à lier !

— Et toi, p'tit gars, t'es un peu long à la détente.

Elliott regarda plus attentivement l'homme qui lui faisait face.

Ce soir, il ne portait plus le pyjama fripé de la veille, mais un pantalon de toile, une chemise propre et une veste bien coupée. Ce type avait de la présence et un certain charisme. N'étaient ses propos incohérents, il ressemblait davantage à un homme d'affaires qu'au pensionnaire d'un asile d'aliénés.

Elliott prit sa voix la plus persuasive pour essayer de le raisonner.

— Écoutez, je pense que vous êtes souffrant. Peut-être y a-t-il un médecin qui vous suit et qui...

— Le médecin, c'est moi.

Ben, c'est pas gagné, pensa Elliott en se grattant la tête. Qu'était-il censé faire dans une situation pareille ? Appeler la police ? Une ambulance ? SOS fous furieux ? En apparence, cet homme n'était pas violent, mais peut-être pouvait-il le devenir.

— On doit sûrement s'inquiéter dans votre entourage. Si vous me dites votre nom, je pourrai retrouver votre adresse et vous ramener chez vous.

— Je m'appelle Elliott Cooper, répondit l'autre tranquillement.

— C'est impossible.

— Et pourquoi donc ?

— Parce que Elliott Cooper, c'est moi.

— Tu veux voir mes papiers ? proposa le vieil homme en sortant son portefeuille de sa poche.

Tout cela l'amusait plutôt.

Elliott examina le document qu'on lui tendait et n'en crut pas ses yeux : sur la carte d'identité figuraient le même nom et la même date de naissance que les siens ! Seule la photo trahissait une trentaine d'années supplémentaires.

Ça ne veut rien dire, chercha-t-il à se rassurer, *n'importe qui peut se procurer des faux papiers.*

Mais qui se donnerait cette peine et dans quel but ?

À bien y réfléchir, il ne pouvait y avoir qu'une seule explication : tout cela n'était qu'un canular élaboré par Matt. Il s'accrocha quelques instants à cette idée, sans parvenir à être tout à fait convaincu. Certes, Matt n'était jamais le dernier pour la rigolade et il avait l'esprit gentiment tordu. Mais pas à ce point tout de même. Et s'il avait voulu lui faire une blague, il n'aurait pas choisi un truc aussi cérébral, mais aurait plutôt tapé en dessous de la ceinture.

Pour rigoler, Matt est du genre à m'envoyer une horde de strip-teaseuses ou une call-girl de luxe, pensa Elliott, *pas un type de soixante berges qui prétend être moi.*

Perdu dans ses réflexions, Elliott remarqua trop tard que l'homme s'était rapproché tout près de lui. Son visage était devenu plus grave. Il lui attrapa le bras et le fixa intensément.

— Écoute, p'tit gars, aussi incroyable que ça

puisse paraître, j'ai *vraiment* trouvé un moyen de revenir trente ans en arrière.

— Bien sûr.

— Tu *dois* me croire, bon sang !

— Mais ce que vous me dites n'a aucun sens !

— Si ça n'a aucun sens, explique-moi comment j'ai pu sortir des toilettes de l'aéroport sans que tu me voies ?

Cette fois, Elliott ne sut pas quoi répondre. Décidément, ce type était peut-être dingue mais il avait une sacrée repartie.

— Monsieur... commença-t-il, mais l'autre le coupa :

— Laisse tomber le *Monsieur*, tu veux bien ?

À cet instant, une série d'aboiements plaintifs se fit entendre en provenance de la baie vitrée. Le médecin baissa les yeux et marqua un mouvement de surprise. Dieu sait comment, le petit labrador avait réussi à se traîner jusqu'à l'étage et malgré sa blessure, lançait des jappements joyeux pour annoncer sa présence.

— Rastaquouère ! s'écria l'homme comme s'il voyait un fantôme.

Au comble de la joie, l'animal se précipita dans ses bras et commença à lui lécher les mains et à le renifler de partout, comme s'il s'agissait d'un rituel entre eux.

— Vous avez déjà vu ce chiot ? demanda un Elliott de plus en plus largué.

— Bien sûr, c'est le mien !

— Le vôtre ?

— Le nôtre.

C'était à s'arracher les cheveux ! À présent, ce type lui tapait sur le système. Mais pour s'en débarrasser, peut-être fallait-il tenter une autre tactique : faire semblant d'aller dans son sens.

Il laissa donc passer quelques secondes puis demanda, le plus sérieusement du monde :

— Alors vraiment, vous venez du futur ?

— On peut voir les choses comme ça.

Elliott donna l'impression d'acquiescer puis fit quelques pas sur la terrasse pour aller s'accouder au balcon. Là, il scruta la rue comme s'il cherchait désespérément quelque chose.

— C'est bizarre, fit-il au bout d'un moment, je ne vois pas votre machine à remonter le temps. Vous l'avez garée dans la rue ou dans mon salon ?

L'homme ne put réprimer un léger sourire :

— Ouais, elle est bonne. Tu n'as jamais pensé à faire carrière dans le *one man show* ?

En guise de réponse, Elliott mit les points sur les i :

— Écoutez, mon vieux, je ne vous connais pas, je ne sais pas d'où vous débarquez, mais je pense que vous n'êtes pas aussi frappadingue que vos propos peuvent le laisser croire. En fait, je suis certain que vous jouez la comédie.

— Et dans quel but ?

— Je n'en sais foutrement rien, et pour tout vous dire, je m'en bats l'œil. Tout ce que je veux maintenant, c'est que vous partiez de chez moi et je vous préviens que c'est la dernière fois que je vous le demande poliment.

— Rassure-toi, je ne vais pas tarder.

Mais au lieu de mettre les voiles, l'homme s'installa dans le fauteuil en osier et fouilla dans sa poche pour attraper ses cigarettes : un paquet rouge et blanc avec un célèbre logo inscrit en noir.

Elliott nota que c'était la marque qu'il avait lui-même l'habitude de fumer, mais il ne s'en inquiéta pas : la marque du cow-boy était l'une des plus populaires.

— Remarque, reprit l'homme en recrachant un rond de fumée et en posant son briquet devant lui, je comprends parfaitement que tu ne me croies pas. Avec le temps, on perd peu à peu ses certitudes, mais je me souviens de ce que j'étais plus jeune : un homme de science qui ne jurait que par la rationalité.

— Et maintenant, vous êtes quoi ?

— Un homme de foi.

Un léger souffle de vent balaya la terrasse. C'était une belle soirée de début d'automne. En ces temps de pollution atmosphérique, le ciel semblait anormalement limpide, magnifique avec ses milliers d'étoiles et sa Lune, pleine et proche, qui brillait d'une lumière bleutée. Absorbé par cette douceur sélène, l'homme termina sa cigarette avant de l'écraser dans le cendrier devant lui.

— Peut-être est-il temps que tu me prennes pour ce que je suis, Elliott : ton allié.

— Un emmerdeur, voilà ce que vous êtes.

— Mais un emmerdeur qui sait tout de toi.

Le médecin s'emporta :

— Bien sûr : vous savez tout de moi parce que vous êtes moi. C'est bien ça votre délire ! Mais qu'est-ce que vous savez vraiment sur moi ? Ma marque de clopes, ma date de naissance... Et après ?

Elliott avait cédé à la colère parce qu'il avait peur. Imperceptiblement, il sentait que le rapport de force s'était retourné et il devinait que l'homme n'avait pas encore tiré ses dernières cartouches. Comme pour lui donner raison, ce dernier reprit d'une voix grave :

— Je sais des choses que tu n'as jamais dites à personne, ni à ton meilleur ami, ni à la femme qui partage ta vie.

— Quoi, par exemple ?

— Des choses que tu n'as pas envie d'entendre.

— Allez-y, balancez, pour voir. Je n'ai rien à cacher.

— On parie ?

— De quoi voulez-vous qu'on parle ?

L'homme réfléchit un instant puis proposa :

— Tu veux qu'on parle de ton père ?

La question le mortifia comme une gifle qu'il n'aurait pas vue arriver.

— Qu'est-ce que mon père vient faire là-dedans ?

— Même s'il n'a jamais voulu l'admettre, ton père était alcoolique, n'est-ce pas ?

— Ce n'est pas vrai !

— Bien sûr que si. Aux yeux du monde, c'était un homme d'affaires respectable, un mari aimant et un bon père de famille. Mais dans l'intimité, pour ta mère et toi, c'était une autre histoire, hein ?

— Vous n'en savez rien.

— Tu parles que je le sais. Il s'est un peu calmé en vieillissant, mais quand tu étais petit, il te cognait dur parfois, tu te souviens ?

Comme Elliott restait sans voix, l'homme continua :

— Ça lui prenait certains soirs, après avoir vidé quelques verres. Lorsqu'il était bien bourré, il s'énervait vite et ça le calmait de distribuer des coups…

Comme un boxeur dans les cordes, Elliott encaissait les paroles sans réagir.

— Pendant longtemps, tu t'es laissé faire. Parfois même, tu le provoquais, n'est-ce pas ? Parce que tu savais que s'il se défoulait suffisamment sur toi, il ne s'acharnerait pas sur ta mère.

L'homme laissa passer quelques secondes avant de demander :

— Tu veux que je continue ?

— Allez vous faire foutre !

Il se pencha vers le jeune médecin, et lui confia à l'oreille, comme un secret :

— En rentrant de l'école, un après-midi, quand tu avais dix ans, tu as trouvé ta mère, les poignets entaillés, qui se vidait de son sang dans la baignoire...

— Espèce de salaud, explosa Elliott en attrapant l'homme par le col de sa veste.

Mais l'autre, imperturbable, termina ce qu'il avait à dire :

— Tu es arrivé juste à temps pour la sauver. Tu as téléphoné pour appeler les secours, mais elle t'a fait promettre de ne rien dire et c'est ce que tu as fait. Tu l'as aidée à casser la vitre de la cabine de douche et elle a raconté aux ambulanciers qu'elle s'était coupée en glissant sur le sol mouillé. C'était votre secret. Personne n'en a jamais rien su.

À présent les deux hommes se faisaient face, les yeux dans les yeux. Elliott était atteint au cœur. Il n'avait pas prévu ce déballage de secrets de famille. Pas ce soir, pas comme ça. Ces souvenirs étaient à la fois enfouis, presque refoulés, et encore à vif.

Douloureux.

— Au début, tu as pensé avoir bien agi, sauf que deux ans plus tard ta mère a sauté dans le vide du haut du douzième étage de votre immeuble.

À chacune des paroles de ce type, Elliott recevait comme un uppercut.

Pour la première fois depuis longtemps, il avait envie de pleurer. Il se sentait vulnérable, dynamité, K-O debout.

— Depuis, tu ne peux t'empêcher de penser que tu portes une part de responsabilité dans son suicide, que les choses auraient peut-être été différentes si tu avais parlé. Parce qu'elle aurait pu avoir un soutien psychologique ou être soignée dans une clinique. Je continue ?

Elliott ouvrit la bouche pour protester mais aucun son n'en sortit.

Bien qu'il semblât, lui aussi, marqué par l'émotion, l'homme reprit sa plongée dans les eaux dangereuses de la vérité. Il avait mûri sa dernière révélation qu'il assena comme un coup de grâce :

— Tu dis à qui veut l'entendre que tu ne souhaites pas avoir d'enfant parce que le monde actuel est sinistre et que le futur s'annonce apocalyptique, mais ce n'est pas la vraie raison, Elliott...

Le jeune médecin fronça les sourcils. À ce moment, lui-même ignorait où son interlocuteur voulait en venir.

— Tu ne veux pas d'enfant parce que tu as toujours pensé que tes parents ne t'aimaient pas. Et aujourd'hui, à ton tour, tu redoutes de ne pas être capable d'aimer tes propres enfants. C'est bizarre comment fonctionne l'esprit humain, n'est-ce pas ?

Elliott ne nia pas. Voilà, il avait suffi de trois minutes pour qu'un homme qu'il n'avait jamais vu dynamite ses certitudes et le fasse douter de tout. Un misérable tas de petits secrets, voilà ce que nous sommes tous.

Une rafale de vent plus puissante s'abattit sur la terrasse. L'homme remonta son col, s'approcha d'Elliott et lui mit la main sur l'épaule, comme pour le réconforter.

— Ne me touchez pas ! demanda le jeune médecin en s'éloignant vers la rambarde. Il manquait d'air et dans sa tête tout se bousculait. Surtout, il sentait que quelque chose d'essentiel lui avait échappé : le but véritable de ces révélations.

— En admettant que tout cela soit vrai, dit-il en dévisageant son mystérieux visiteur, qu'est-ce que vous attendez de moi ?

Le vieil homme secoua la tête.

— Je n'attends rien de toi, p'tit gars. Désolé de te décevoir, mais je ne suis pas là pour toi.

— Mais, alors…

— Si je suis revenu, c'est pour la voir, elle…

À nouveau il sortit son portefeuille, mais cette fois c'est une photo aux couleurs fanées qu'il tendit à Elliott.

Un cliché d'Ilena à Central Park en train de lancer une boule de neige, le visage radieux et les joues colorées. C'était sa photo préférée. Elle avait été prise l'hiver précédent et depuis, elle ne quittait jamais son portefeuille.

— Comment vous l'êtes-vous procurée ? Approchez-vous une seule fois d'Ilena et je vous écrabouille la gueule jusqu'à…

L'homme se leva sans attendre la fin de cette mise en garde. Comme si le moment était venu pour lui de prendre congé, il caressa la tête du chien et fit quelques pas vers la baie vitrée. C'est là qu'Elliott remarqua qu'il était agité des mêmes tremblements qui l'avaient saisi la veille à l'aéroport, juste avant qu'il ne disparaisse.

Cette fois, il n'allait pas le laisser partir comme ça !

Il se précipita pour le rattraper, mais… trop tard. L'autre avait déjà quitté la terrasse et refermé la baie coulissante derrière lui.

— Ouvrez cette putain de porte ! cria le médecin en tambourinant contre la paroi de verre qui courait le long de la terrasse.

Grâce à un gel fluorescent, la vitre se teintait le soir venu d'une couleur verte très design. Cette invention de l'architecte transformait le verre en une sorte de miroir sans tain. Coincé sur la terrasse, Elliott était du mauvais côté : celui qui ne permettait pas de voir, mais seulement d'être vu.

— Ouvrez ! réclama-t-il à nouveau.

Il y eut un silence, puis la voix derrière la porte murmura :

— N'oublie pas ce que je t'ai dit : je suis ton allié, pas ton ennemi.

Il ne fallait pas qu'il laisse partir ce type. Maintenant, il voulait en savoir davantage. À court de solutions, il s'empara d'une chaise en fer forgé et, de toutes ses forces, la projeta contre la baie vitrée qui explosa en une multitude de petits éclats brillants. Il s'engouffra dans la maison, descendit les escaliers, parcourut toutes les pièces et sortit même dans la rue.

Personne.

Lorsqu'il revint sur la terrasse, le petit labrador, triste comme les pierres, hurlait à la nuit.

— Ça va aller, dit-il en prenant le chiot dans ses bras, c'est fini.

Mais au fond de lui, il était persuadé du contraire. Les emmerdes ne faisaient que commencer.

6

*Je voudrais tant que tu te sou-
viennes des jours heureux où nous
étions amis.*

*En ce temps-là, la vie était plus
belle et le soleil plus brillant qu'aujourd'hui.*

Jacques PRÉVERT – Joseph KOSMA

1976
Elliott a *30* ans

Le chien sous le bras, Elliott se rua vers sa voiture. Il fallait qu'il raconte à Matt ce qui lui arrivait. Son premier réflexe avait été d'appeler Ilena,
mais il avait raccroché avant qu'elle ne réponde.
Comment lui présenter les choses sans passer pour
un hurluberlu ? Non, mieux valait attendre d'en
savoir plus avant de l'inquiéter.

Il ouvrit la portière de la Coccinelle et installa son nouveau compagnon sur la banquette passager. Il commençait à s'attacher au petit labrador qui paraissait aussi déstabilisé que lui par l'étrange aventure qu'il venait de vivre.

Elliott quitta la marina pour rejoindre le quartier italien. La nuit était bien avancée et la circulation fluide. Il s'engagea dans Lombard Street et négocia les huit virages en épingle à cheveux qui valaient à l'artère son surnom de *rue la plus tortueuse du monde*. Le passage était splendide et n'usurpait pas sa réputation, mais ce soir Elliott avait trop de soucis pour s'attarder sur les massifs de fleurs et les illuminations.

Pressé d'arriver, il traversa North Beach à vive allure, filant devant les tours jumelles de l'Italian Cathedral – où quelques années plus tôt, Marilyn Monroe avait épousé Joe Di Maggio – pour arriver au sommet de Telegraph Hill.

Les rues pentues de San Francisco n'étaient pas une légende. Une fois en haut de la colline, il manœuvra pour se garer en épi, tournant ses roues vers l'intérieur du trottoir comme l'exigeait la réglementation municipale.

— Bon, toi tu restes ici, ordonna-t-il au chien.

L'animal émit un grognement de protestation, mais le médecin ne se laissa pas attendrir.

— Désolé, mais ce n'est pas négociable, trancha-t-il en claquant la portière.

Il s'engagea dans un petit passage au milieu des eucalyptus et descendit la volée de marches fleuries qui dévalait le flanc de Telegraph Hill. L'endroit était charmant et surréaliste, comme si un bout de campagne s'était invité au milieu de la métropole. D'ici, on avait la ville à ses pieds avec en arrière-plan la Coit Tower qui brillait d'une lumière blanche. La végétation, colorée et luxuriante, offrait un écrin protecteur à une foule d'oiseaux : passereaux, perruches sauvages, merles moqueurs... Elliott parcourut l'escalier de bois qui serpentait au milieu des rhododendrons, des fuchsias et des bougainvillées pour desservir les petits bungalows art déco accrochés à la colline. À mi-parcours, il arriva devant le portail d'un jardin désordonné. Comme chaque fois qu'il venait ici, il escalada la barrière et se retrouva sur le perron d'une maison en bois peint d'où s'élevait un refrain langoureux de Marvin Gaye. Il allait toquer à la porte, mais, comme celle-ci était ouverte, il entra sans s'annoncer, impatient d'épancher ses soucis à l'oreille de son ami.

— Matt, tu es là ? cria-t-il en pénétrant dans le salon. Tu ne devineras jamais ce qui m'est arrivé...

Il s'arrêta net. Sur la table basse près de la fenêtre

il venait de remarquer deux coupes de champagne posées près d'un assortiment de macarons. Un parfum d'encens indou flottait agréablement. Elliott fronça les sourcils et parcourut la pièce du regard pour y découvrir une paire d'escarpins à talons hauts près de la cheminée, un soutien-gorge pastel jeté sur le canapé et une culotte en dentelle accrochée à une statuette. Selon toute vraisemblance Matt n'était pas seul. C'était même à espérer, car s'il enfilait lui-même toute cette lingerie, eh bien, il ne le connaissait plus ! Elliott allait s'éclipser sur la pointe des pieds lorsque...

— Salut, toi.

Il se retourna comme pris en faute. Devant lui, en tenue d'Ève, se tenait la jeune femme rencontrée plus tôt sur la plage.

— Euh... Bonsoir, bredouilla-t-il en détournant le regard, désolé de...

Une main faussement pudique posée sur sa poitrine, l'autre au bas de son ventre, elle ondoya vers lui, toute en formes et en sensualité.

— Matt ne m'avait pas dit que tu serais aussi de la partie, fit-elle, mutine.

— Non, euh... Je ne veux même pas savoir à quoi vous pensez. J'étais juste venu pour...

— Qu'est-ce que tu fous ici à une heure

pareille ? le coupa Matt en débarquant seulement vêtu d'un drap enroulé autour de sa taille.

— Visiblement, je dérange, constata Elliott.

— Perspicace, à ce que je vois ! Laisse-moi quand même te présenter Tiffany, elle est en ville pour passer les auditions de la prochaine James Bond Girl.

— Enchanté. Hum… Je ne vous serre pas la main puisque les vôtres sont occupées.

Tiffany lui adressa en échange un sourire émaillé garanti antitartre.

Elliott se tourna vers son ami :

— Écoute Matt, j'aurais besoin d'aide…

— Tout de suite, là ! Ça ne peut pas attendre demain ? demanda le jeune Français inquiet de voir s'éloigner sa partie de plaisir avec une créature enchanteresse.

— Tu as raison, je t'appelle demain, concéda Elliott, déçu. Excuse-moi de t'avoir dérangé.

Il avait déjà fait quelques pas vers la porte lorsque Matt, comprenant soudain que quelque chose d'important tracassait son ami, l'attrapa par l'épaule.

— Attends, mon vieux, raconte-moi ce qui t'arrive.

À l'autre bout de la pièce, Tiffany avait récupéré ses affaires et, se sentant exclue, jugea qu'il était temps de s'éclipser.

— Bon les gars, je vous laisse entre vous, annonça-t-elle en terminant de se rhabiller. Si vous préférez les jeux entre garçons…

— Non, non, non, non, non ! s'inquiéta Matt en essayant de la retenir, ce n'est pas DU TOUT ce que tu crois. Elliott est un AMI.

— Ne t'en fais pas chéri, assura-t-elle en quittant la maison, on est à San Francisco, je sais ce que c'est…

À moitié nu, Matt la poursuivit à travers le jardin, lui jurant sur tous les dieux qu'il n'était pas gay et tentant d'obtenir son numéro de téléphone, ce que la jeune femme, vexée d'avoir été délaissée, refusa de lui donner. Matt redoublait d'efforts lorsqu'un coup de vent en provenance du Pacifique emporta soudain le drap qui lui servait de toge. Nu comme un ver, il attrapa le premier pot de fleurs qui lui tomba sous la main – un cactus à tiges aplaties – et s'en servit comme cache-sexe. Persévérant, il courut encore un moment derrière Tiffany qui, malgré ses talons aiguilles, cavalait comme une gazelle. Dans la maison d'à côté, une lumière s'alluma et un volet claqua. Réveillée par le vacarme, une vieille dame passa la tête à travers la fenêtre. En apercevant la figure outrée de sa voisine, Matt battit en retraite, bien décidé à regagner ses pénates à toute allure. Il avait presque atteint la porte d'entrée lorsqu'il glissa sur la dernière marche de l'escalier et s'étala sur le perron, les tubercules épineux du cactus plantés dans l'endroit le plus sensible de son anatomie.

Hurlant de douleur, il referma la porte derrière lui avant de pointer un doigt accusateur en direction d'Elliott :

— J'espère pour toi que tu as une TRÈS BONNE raison pour m'avoir cassé ce coup-là !

— Je suis en train de devenir fou, c'est suffisant ?

— Tu veux me faire plaisir : arrête de me regarder comme ça ! Et surtout, n'ouvre pas la bouche.

— Je n'ai rien dit, assura Elliott en tentant de réprimer un sourire.

— Ben, continue, dit Matt en filant dans sa chambre. Je vais m'habiller et après on parlera de ton problème.

Elliott migra vers la cuisine et mit de l'eau à chauffer pour préparer du café. Malgré sa promesse, il ne put s'empêcher de crier à Matt :

— Tu veux un conseil : utilise une pince à épiler !

★

Dans la petite maison, la tension était descendue d'un cran. Matt s'était « soigné » et avait enfilé un jean et un pull. C'est donc frais et dispos qu'il prit place à la table où l'attendait son ami.

— Bon, tu me racontes ? demanda-t-il en se servant une tasse de café.

— Il est revenu, dit simplement Elliott.

— Laisse-moi deviner : ton voyageur du temps, c'est ça ?

— Oui, il a débarqué chez moi ce soir, sur ma terrasse.

Matt grimaça en goûtant son breuvage et mit deux morceaux de sucre dans sa tasse.

— Il tient toujours le même discours ?

— Il prétend être moi, mais avec trente ans de plus.

— Bizarre comme symptôme, n'est-ce pas, docteur ?

— En fait, c'est vraiment troublant : il connaît beaucoup de choses sur moi. Des trucs intimes, très personnels…

— Il veut te faire chanter ?

— Même pas, il soutient qu'il est là pour revoir Ilena.

— En tout cas, si tu croises à nouveau ton copain du futur, n'oublie pas de lui demander quelques tuyaux sur les prochains résultats sportifs ou l'évolution des cours de la Bourse…

De nouveau, Matt fit une drôle de moue en

prenant une gorgée de café. Il rajouta trois morceaux de sucre et une lampée de lait avant de terminer sa phrase :

— … histoire de se faire un peu de fric au passage.

— Tu ne me crois pas, c'est ça ? constata Elliott dépité.

— Si, je crois qu'il y a un type qui te harcèle, mais non, je ne crois pas qu'il vienne du futur.

— Tu aurais dû voir comment il s'est volatilisé… fit Elliott, songeur.

— Tu sais quoi ? Là, tu m'inquiètes vraiment. Je te rappelle que, dans notre duo, le guignol c'est moi…

Matt se leva pour jeter le contenu de sa tasse dans l'évier tout en maugréant :

— Brrk, c'est du jus de chaussette, ton café !

Puis il reprit son argumentaire :

— C'est moi la touche de folie et d'extravagance, moi qui ai le droit de faire des trucs loufoques et de raconter des plaisanteries pas très fines. Toi, tu es la voix de la raison et de la sagesse. Alors, ne cherche pas à inverser les rôles.

— C'est bien joli tout ça, il n'empêche que j'ai une mauvaise intuition concernant ce type. Il me fait peur et, quoi qu'il en dise, je ne suis pas sûr qu'il ne me veuille que du bien.

— Dans ce cas, il faut qu'on le retrouve et qu'on lui foute un peu la frousse, dit Matt en attrapant la batte de base-ball qui traînait sur son canapé.

— Repose ça, soupira Elliott, ce type a deux fois notre âge.

— Qu'est-ce que tu suggères pour remonter jusqu'à lui ?

Elliott réfléchit un instant avant de constater :

— Les propos de ce gars sont tellement extravagants qu'il n'y a que deux solutions : soit il est mentalement perturbé...

— Soit ?

— Soit il dit la vérité.

— Si tu veux bien, on va se limiter à la première possibilité.

— Dans ce cas, il faut contacter les hôpitaux et les institutions psychiatriques de la région pour voir s'il ne leur manque pas un patient.

— Allez, on s'y met tout de suite ! lança le Français en empoignant son téléphone. Si ce mec existe, je te promets qu'on va le trouver.

Elliott ouvrit les portes vitrées de la bibliothèque pour y dégoter l'annuaire téléphonique. Sur les étagères, en guise de chefs-d'œuvre de la littérature, trônaient la collection complète de *Playboy* et quelques ouvrages consacrés à la viticulture.

— Tu sais qu'il existe en ce monde d'autres

centres d'intérêt que les femmes et le vin ? fit-il remarquer à son ami.

— Vraiment ? demanda Matt à moitié sérieux, parce que j'ai beau réfléchir, je ne vois pas trop lesquels.

Une fois les coordonnées récupérées, les deux amis s'employèrent à contacter les établissements de soins de Californie pour savoir si l'homme qu'ils recherchaient ne se trouvait pas sur la liste des personnes sorties récemment sans avis médical. Il faut dire que, depuis quelques années, les hôpitaux psychiatriques étaient incités à relâcher dans la nature une partie de leurs pensionnaires. Pour baisser les impôts, le Gouverneur de l'État – un certain Ronald Reagan – avait en effet décidé de réduire drastiquement leurs budgets. Une politique qu'il comptait mener à plus grande échelle s'il accédait un jour à la fonction présidentielle.

Elliott et Matt ne ménagèrent pas leurs efforts, mais au bout d'une heure, force leur fut de constater qu'ils n'avaient toujours aucune piste. La tâche était trop difficile et le moment de la journée guère approprié pour cette démarche.

— Ce mec, c'est l'homme invisible, râla Matt en lâchant son combiné. Tu veux qu'on continue ?

— Je crois qu'on s'y prend mal. En fait, tout ce que je voudrais, c'est avoir une preuve.

— Une preuve de quoi ?

— Une preuve que ce type n'est pas moi.

— Mais tu disjonctes, mon grand. C'est la première fois que je te vois dans cet état et permets-moi de te dire qu'à ce moment précis je n'aimerais pas que ce soit toi qui m'opères. Relax, mon pote ! Prends des vacances, emmène Ilena bronzer à Hawaii pendant une semaine et tu verras que ton petit monde retrouvera sa cohérence.

Matt s'effondra sur son canapé et alluma la télé pour tomber en plein milieu d'un épisode de *Columbo*. Sur l'écran, entre deux réflexions sur son épouse, le célèbre lieutenant s'appliquait à confondre un criminel en le poussant dans l'écheveau de ses contradictions.

— Dommage qu'il n'ait pas laissé quelque chose chez toi, dit Matt en bâillant.

— Qu'est-ce que tu veux dire ?

— Ton voyageur du temps, dommage qu'il n'ait pas laissé chez toi un objet portant ses empreintes. On aurait pu les faire analyser, comme dans les films.

Elliott marqua un temps d'hésitation, se remémorant précisément son entrevue avec son « visiteur », avant de serrer son ami par les épaules.

— Matt, tu es un génie, tu le sais ?

— C'est vrai, approuva le Français. Dommage

que tu sois le seul à être au courant. Au fait, pourquoi me dis-tu ça ?

— Il a laissé son briquet ! J'en suis presque certain : il a fumé une cigarette devant moi et a posé son Zippo sur la table de ma terrasse.

Au comble de l'excitation, Elliott attrapa sa veste et ses clés.

— Je rentre chez moi.

— Je t'accompagne, annonça Matt en le rejoignant sur le seuil. Je n'aime pas te voir conduire dans cet état.

— Merci de ta sollicitude.

— Et puis, je ne vais pas t'abandonner au moment où ça commence à devenir intéressant.

Les deux amis sortirent de la maison et remontèrent l'escalier de bois

— On prend ma voiture, proposa Matt, j'ai toujours eu du mal avec ta casserole.

Mais lorsqu'ils arrivèrent devant la place de parking, ils constatèrent que la magnifique Chevrolet Corvette de Matt avait été taguée par Tiffany. Une large inscription au rouge à lèvres s'étendait en effet tout le long du pare-brise :

BASTARD[1]

_____
1. Salopard.

— Elle est sympa ta copine, fit remarquer Elliott.

— Tu remarqueras qu'elle a quand même laissé son numéro de téléphone, fit Matt en retirant une carte de visite coincée sous l'essuie-glace. Il doit y avoir quelque chose d'irrésistible en moi.

Pendant que son ami frottait sa vitre à l'huile de coude, Elliott s'en alla récupérer le petit labrador dans son véhicule.

— Tu as un chien maintenant ? s'étonna Matt en écarquillant les yeux. Je croyais que toi et les animaux vous n'étiez pas très copains.

— Disons que c'est un chien spécial.

Matt s'installa au volant et boucla sa ceinture.

— Qu'est-ce qu'il a de spécial ? Il sait conduire et tu t'en sers comme chauffeur, c'est ça ?

— Ouais et je lui ai même appris à parler aussi.

— Sérieux ?

— Allez, démarre et si tu es sage, il te chantera peut-être *La Marseillaise*.

Matt mit les gaz et la Corvette Roadster fila dans la nuit. Elliott se sentait léger, comme délesté d'une angoisse de trois tonnes. Il avait suffi de quelques minutes pour que son moral remonte en flèche. Il avait eu peur, c'est vrai, cet homme avait su le déstabiliser en déterrant deux ou trois secrets de famille. Mais maintenant, la confiance et la bonne humeur étaient revenues. Il allait récupérer le briquet et téléphoner à un ami policier. L'analyse démontrerait que les empreintes digitales de ce type étaient différentes des siennes et tout rentrerait dans l'ordre. Il pourrait alors téléphoner à Ilena et il rirait avec elle de cette histoire. En attendant, il pouvait toujours asticoter Matt.

— Tu sais, tu n'es pas obligé de sortir avec des filles ayant un QI d'escargot.

— Pourquoi tu dis ça ?

— Parce que la pin-up de tout à l'heure, elle n'avait pas l'air d'avoir inventé l'eau tiède, si tu vois ce que je veux dire.

Matt encaissa l'information sans se démonter, tout en faisant remarquer :

— Quand même, est-ce que tu as vu sa paire de...

— La taille des seins n'est pas le seul critère pour sortir avec une femme, le coupa Elliott. Tu as trente ans maintenant, je pensais que tu avais dépassé cette phase un peu primaire, mais je vois que ce n'est pas le cas.

Matt n'en démordait pas :

— C'est important le physique.

— Ouais, c'est important pour ce à quoi tu penses, mais après ?

— Après quoi ?

— Eh bien discuter, s'intéresser à l'autre, échanger des points de vue…

Matt haussa les épaules :

— Si je veux discuter, c'est *toi* que j'appelle. Pas la peine de sortir avec un prix Nobel pour ça.

— Euh… En attendant, tu viens de louper l'embranchement pour aller chez moi.

— Pas du tout, répondit Matt, vexé, j'emprunte juste un raccourci que tu ne connais pas.

Lequel raccourci présentait tout de même l'inconvénient de rallonger le trajet de plusieurs kilomètres. Ce n'est que dix minutes plus tard qu'ils arrivèrent à la marina. Elliott piaffait d'impatience, mais il eut l'élégance de ne pas faire la moindre remarque.

À peine la voiture eut-elle stoppé devant la maison qu'il se précipita à l'intérieur, montant quatre à quatre les marches jusqu'à la terrasse. À présent, il ne redoutait qu'une chose : que le briquet ait disparu.

Heureusement, ce n'était pas le cas. Le Zippo était toujours là, posé sur le bord de la table.

— Qu'est-ce qui s'est passé ici ? demanda Matt en voyant le tas d'éclats de verre qui jonchait le sol. Tu t'es battu avec King Kong ?

— Je t'expliquerai plus tard. En attendant, il faut que je téléphone à quelqu'un.

— Minute, papillon : il est 2 heures du matin ! San Francisco n'est pas la « *ville qui ne dort jamais* », tu te trompes de côte, là ! À cette heure-ci, la plupart des gens normalement constitués sont dans leur pieu.

— C'est la police que j'appelle, Matt.

Elliott contacta le commissariat central pour demander si le détective Malden était de service cette nuit. C'était le cas et on le mit immédiatement en contact avec le bureau de l'enquêteur.

— Bonsoir monsieur Malden, Elliott Cooper à l'appareil, désolé de vous déranger mais j'aurais besoin que vous me rendiez un grand service.

*

En attendant l'arrivée du policier, les deux amis étaient revenus sur la terrasse.

— Je ne savais pas que tu avais des amis chez les flics, remarqua Matt étonné. Ce type, tu l'as connu comment ?

— C'est lui qui a enquêté lors du suicide de ma mère, répondit évasivement Elliott. Il m'a pas mal aidé à l'époque et nous sommes restés en contact. Tu vas voir, c'est un mec bien.

Les deux hommes s'étaient rapprochés de la table et observaient avec attention le briquet tempête oublié par le prétendu « voyageur du temps ». C'était un modèle Zippo en argent, incrusté de petites étoiles brillantes et surmonté de l'inscription : *Millenium Edition.*

— C'est bizarre, cette expression, constata Elliott.

— Ouais, approuva Matt en s'agenouillant pour observer l'objet de plus près. C'est comme si ce briquet avait été fabriqué en série limitée pour commémorer quelque chose...

— ... le passage à l'an 2000, termina Elliott, en se rendant compte de l'énormité de ce qu'il disait.

— Laisse tomber, on raconte n'importe quoi ! décida Matt en se relevant.

Quelques minutes plus tard, une voiture de police s'arrêta devant la maison et Elliott se hâta d'aller accueillir le détective Malden. C'était un flic à l'ancienne, une sorte d'Humphrey Bogart vieillissant, en imper et chapeau de feutre mais à la carrure de boxeur. Il avait commencé au bas de l'échelle, apprenant son métier à l'école de la rue. Depuis près de quarante ans qu'il la sillonnait, la ville de San Francisco n'avait plus guère de secrets pour lui.

Mais le vieux policier n'était pas venu seul. Il présenta à Elliott son nouveau collègue, le détective Douglas, un jeune inspecteur frais émoulu de l'école de police, diplômé en criminologie. Les cheveux soigneusement peignés en arrière, Douglas était tiré à quatre épingles, arborant un costume bien coupé et une cravate parfaitement nouée, même à 2 heures du matin.

— Qu'est-ce qui t'arrive, Elliott ? demanda Malden en pénétrant sur la terrasse et en désignant à son tour les débris de verre. Tu as reçu un missile par ta fenêtre ?

— Je voudrais que vous releviez des empreintes sur ce briquet, expliqua naïvement Elliott, comme s'il s'agissait d'une simple formalité.

En élève appliqué, Douglas avait déjà dégainé son calepin et son stylo.

— Y a-t-il eu effraction ou cambriolage ? se renseigna-t-il.

— Pas exactement, répondit Matt. C'est une histoire plus compliquée…

— Si vous ne déposez pas plainte, nous ne pouvons rien pour vous ! fit remarquer le jeune inspecteur avec une pointe d'agacement.

— Du calme, Douglas ! réclama Malden.

Elliott commençait à comprendre qu'il allait avoir du mal à se dispenser d'une explication. Sous le prétexte de préparer du café, il entraîna le vieux policier dans la cuisine pour lui parler seul à seul.

— Maintenant, Elliott, explique-moi ce qui s'est passé, réclama Malden en allumant un cigarillo.

Comme le jeune médecin restait silencieux, Malden se remémora leur première rencontre. Elle avait beau dater d'une vingtaine d'années, il s'en souvenait comme si c'était hier.

Un soir de pluie, il avait été appelé pour constater le suicide d'une femme qui s'était jetée du haut d'un immeuble de Downtown. Il avait retrouvé ses papiers sur son cadavre – elle s'appelait Rose Cooper – puis il s'était chargé d'annoncer la terrible nouvelle à son mari et à son fils.

À l'époque du suicide de sa mère, Elliott n'avait guère plus de douze ans. Malden s'en souvenait comme d'un garçon attachant, intelligent et sensible. Il avait rencontré le père du gamin : un homme d'affaires qui n'avait pas semblé particulièrement bouleversé par l'annonce du décès de sa femme. Surtout, Malden se souvenait des marques et des bleus qu'il avait remarqués sur les bras de l'enfant.

À vrai dire, ces stigmates, il les avait davantage devinés qu'aperçus. C'était peut-être ce côté intuitif qui faisait de lui un bon flic : il « sentait » les choses. Et dans ce cas précis, il les sentait d'autant mieux que lui aussi avait eu un père qui lui infligeait régulièrement quelques tannées au ceinturon, une fois sa journée d'usine terminée.

Bien sûr, il aurait pu fermer les yeux : à l'époque,

on n'accordait pas vraiment d'importance à ces choses-là. Mais il était revenu voir Elliott le jour suivant et le jour d'après. Il en avait profité pour lâcher quelques phrases à destination du père pour lui montrer qu'il « savait » et que désormais, il l'aurait à l'œil. C'est ainsi que, de fil en aiguille, Malden avait continué à suivre Elliott et à s'intéresser à sa scolarité. C'était sa conception un peu utopique du métier : une police proche des gens, qui ne limitait pas son action à arrêter les criminels.

Le policier attrapa la tasse de café que lui tendait le médecin et se frotta les yeux pour chasser les souvenirs qui remontaient à la surface. Il fallait qu'il se concentre sur le moment présent.

— Si tu ne me dis rien, insista Malden, je ne pourrai pas t'aider.

— J'en ai bien conscience, approuva Elliott, mais…

— Mais quoi ?

— Lorsque ma mère est morte, vous m'avez demandé de vous faire confiance et vous m'avez promis que lorsque j'aurais besoin d'aide, vous seriez là pour moi…

— C'est toujours vrai, fiston.

— Eh bien, aujourd'hui j'ai besoin de vous. J'ai besoin non seulement du policier, mais aussi de l'ami : le policier pour faire cette recherche d'empreintes et l'ami pour me faire confiance même si je ne peux rien lui expliquer pour l'instant.

— Mouais, soupira Malden, tu dis des jolies phrases mais je ne peux pas lancer une recherche d'empreintes comme ça ! Il faut des autorisations, rendre des comptes. On doit faire venir une brigade du labo scientifique. En plus, ça peut prendre plusieurs jours, voire plusieurs semaines…

— Mais j'ai besoin d'un résultat très vite !

Malden réfléchit une bonne minute en se grattant la tête. Depuis quelque temps, son étoile s'était ternie au commissariat. Officiellement, on lui reprochait de ne tenir aucun compte de sa hiérarchie et d'utiliser des méthodes pas toujours orthodoxes pour arriver à ses fins. Mais surtout, on ne lui pardonnait pas d'avoir poussé un peu trop loin une enquête de corruption qui avait éclaboussé plusieurs personnalités de la municipalité. Malden savait qu'on l'avait désormais dans le collimateur et que son nouvel adjoint était surtout là pour le surveiller en attendant qu'il fasse un faux pas. Autant de raisons qui auraient dû l'inciter à la prudence, mais il avait une promesse à tenir. Une promesse qu'il avait faite, vingt ans plus tôt, à un enfant qui venait de perdre sa mère.

— J'ai peut-être une idée pour relever des

empreintes sans passer par la procédure habituelle, déclara-t-il soudain.

— Comment ça ?

— Tu vas voir, répondit-il en restant mystérieux. C'est pas réglementaire pour un sou, mais ça peut marcher.

De retour dans le salon, il envoya Douglas acheter un tube de cette nouvelle colle, la *Super Glue* qui venait de faire son apparition sur le marché.

— Et où vais-je trouver ça à 2 heures du mat ? râla Douglas.

Malden indiqua à son adjoint l'adresse d'un magasin d'appareils photo qui restait ouvert la nuit et qui commercialisait cette colle, car elle était fabriquée par la marque Kodak.

Alors que Douglas s'acquittait de sa tâche, le policier s'agenouilla à son tour pour observer l'étrange inscription gravée sur le briquet.

— *Millenium Edition* ? Qu'est-ce que ça signifie ? demanda-t-il en se tournant vers Matt.

— On n'en sait pas plus que vous, avoua Matt en ouvrant une canette de Coca-Cola.

— Vous n'avez pas mis vos doigts dessus, au moins ? Sinon, fini les empreintes…

— Vous nous prenez pour des péquenots ou quoi ! s'écria Matt. Nous aussi on regarde *Starsky et Hutch*.

Malden fusilla le jeune homme du regard puis se tourna vers Elliott.

— Il me faudrait une boîte en carton.

— De quelle taille ?

— Une boîte à chaussures fera l'affaire.

Elliott s'en alla fouiller dans le placard de sa chambre et trouva l'emballage cartonné d'une paire de Stan Smith.

Pendant ce temps, Malden s'était emparé de la petite lampe installée sur la table basse de la terrasse. Il en retira l'abat-jour et posa la main sur l'ampoule encore allumée pour en éprouver la chaleur.

Quelques minutes plus tard, Douglas était de retour, arborant fièrement le tube de Super Glue. Au début, il avait pris Malden pour un *has been*, mais il devait bien reconnaître que l'ingéniosité du vieux flic l'étonnait chaque jour davantage et qu'il avait plus appris en quelques semaines avec lui que pendant ses trois années de formation.

— Tout est prêt, annonça Malden, le spectacle peut commencer.

— Vous allez relever des empreintes avec une boîte en carton et un tube de colle ? demanda Matt incrédule.

— Exactement. Et ça mon garçon, tu ne l'as

jamais vu faire à la télé, même dans *Starsky et Hutch*.

Malden demanda à Matt de lui donner l'emballage du Coca qu'il venait de terminer. Le policier sortit un canif de sa poche et l'utilisa pour découper le fond de la canette d'aluminium. C'est dans cette petite coupelle de fortune qu'il versa le contenu du tube de super-colle avant de la placer à côté du briquet.

Il s'empara ensuite de la lampe de chevet et se servit de la chaleur diffuse de l'ampoule pour chauffer la glu. Rapidement, des vapeurs nauséabondes s'élevèrent dans la pièce. Malden recouvrit l'ensemble de la boîte en carton avant de se retourner, satisfait, vers son auditoire.

— Plus que quelques minutes avant dégustation, annonça-t-il, un sourire satisfait aux lèvres.

— Qu'est-ce que vous avez fait au juste ? demanda Matt, de moins en moins convaincu.

Tout en gardant un œil sur la boîte, Malden prit un ton professoral pour expliquer :

— Le nom chimique de la Super Glue est le cyanoacrylate…

— Ravi de l'apprendre, persifla Matt.

Malden lui jeta alors un regard noir qui signifiait qu'il ne se laisserait plus interrompre dans ses explications et Matt capta parfaitement le message.

— Sous l'effet de la chaleur, les vapeurs de cyanoacrylate vont être attirées par les acides aminés et les lipides, constituants essentiels de la sueur humaine véhiculée par les empreintes.

— Et il va y avoir polymérisation, annonça Elliott qui commençait à comprendre.

— Poly-quoi ? demanda Douglas qui se sentait de plus en plus largué.

— Polymérisation, expliqua Malden. Ça veut dire que les vapeurs de Super Glue vont se déposer sur l'empreinte digitale invisible à l'œil nu pour former une sorte de carapace protectrice qui permettra de faire apparaître l'empreinte et de la conserver.

Matt et Douglas regardèrent le vieux policier d'un air dubitatif. Ils assistaient pourtant à une expérience pionnière qui, dans quelques années, allait révolutionner le travail des enquêteurs du monde entier.

Elliott, lui, ne quittait pas le carton des yeux, anxieux de savoir ce qu'il allait lui révéler.

Au bout d'un moment, Malden décida que le jeu avait assez duré et souleva la boîte : un dépôt blanc et solide s'était déposé à trois endroits du briquet, révélant distinctement trois traces d'empreintes.

— Et voilà le travail, fit Malden en se baissant. À première vue nous avons une superbe empreinte de pouce sur une face et sur l'autre je dirais... un bout d'index et de majeur.

Il enveloppa précautionneusement la pièce à conviction dans un mouchoir et la glissa dans la poche de son imper.

— Si j'ai bien compris, fit-il en se tournant vers Elliott, tu veux que je compare ces empreintes avec celles que nous avons sur nos fichiers.

— Pas exactement, rectifia le médecin : je veux que vous les compariez avec les miennes.

Ajoutant le geste à la parole, il sortit un stylo plume de la poche de sa veste et fit couler un peu d'encre sur la table avant d'en humecter chacun de ses doigts et d'apposer ses propres empreintes sur une page vierge de son agenda.

Malden s'empara de la feuille et regarda Elliott droit dans les yeux.

— Bien que je ne comprenne pas la logique de tout ça, je vais le faire quand même parce que, moi aussi, j'ai confiance en toi.

Le médecin hocha la tête en silence, manière pour lui de remercier le policier. Quant à Matt, il osa enfin une nouvelle question :

— Ça sera long de comparer ces deux séries d'empreintes ?

— Je vais m'y mettre tout de suite, assura

Malden. Comme les prélèvements sont bons, j'espère avoir des résultats rapidement.

Elliott raccompagna les deux policiers sur le perron. Tandis que Douglas s'en allait récupérer la voiture, Malden promit :

— Je t'appelle dès que j'ai fini.

Puis, après un instant d'hésitation, il demanda :

— Au fait, tu es toujours avec ta Brésilienne, la petite Ilena ?

— Toujours, répondit Elliott, un peu surpris par cette question. Entre elle et moi c'est…

Bloqué par la pudeur, il ne termina pas sa phrase mais Malden avait saisi l'essentiel.

— Je comprends, fit-il en baissant la tête, quand une personne entre dans votre cœur, elle y reste pour toujours…

Elliott regarda avec émotion le vieux policier qui s'éloignait. Il savait que, depuis quelques années, il accompagnait sa femme dans un combat perdu d'avance contre la maladie d'Alzheimer.

Et que l'heure du dernier round allait bientôt sonner.

★

Il était 3 heures du matin, mais Elliott n'avait pas sommeil. Il avait reconduit Matt chez lui et récupéré sa Coccinelle. Il s'arrêta à une station d'essence sur Market Street. La tête perdue dans ses pensées, il remplissait son réservoir lorsqu'une femme édentée l'interpella. Elle poussait un chariot rempli de babioles et de chiffons et semblait droguée ou ivre. Elle lui lança une bordée d'injures, mais il ne s'en formalisa pas. Deux jours par mois, il travaillait comme médecin bénévole auprès de la *Free Clinic*, un centre municipal de soins pour nécessiteux et il savait que la nuit la ville changeait de visage. Dans les guides touristiques et dans les films, San Francisco était toujours présentée sous son jour le plus favorable avec ses quartiers pittoresques, sa taille humaine et ses nombreux espaces verts. On rappelait aussi sans cesse que la ville était le symbole de la libération hippie. Et c'est vrai que « Frisco » avait connu son heure de gloire dix ans plus tôt lorsque, dans le sillage de Janis Joplin et de Jimi Hendrix, des centaines de *flower-children* étaient venus s'installer dans les maisons victoriennes de Haight Ashbury.

Mais le *Summer of Love* était déjà loin. Le mouvement hippie s'éteignait peu à peu, miné par ses excès. Joplin et Hendrix étaient morts tous les deux, à vingt-sept ans à peine. Gavé de somnifères et étouffé dans son vomi pour Jimi ; minable overdose d'héroïne pour la Perle[1].

En cette fin d'année 1976, l'amour libre et la vie en communauté n'intéressaient déjà plus grand monde. La drogue, surtout, causait des dommages incroyables. Censés ouvrir les esprits et libérer les gens de leurs inhibitions, le LSD, la méthédrine et l'héroïne les faisaient basculer dans la dépendance avant de les tuer à petit feu. À la clinique, Elliott était témoin de leurs terribles ravages : overdoses, hépatites causées par les aiguilles sales, pneumonies, *bad trips* qui se terminaient tragiquement par des défenestrations.

S'ajoutait à ça le problème des vétérans du Vietnam dont certains venaient rejoindre les rangs des sans-abri, de plus en plus nombreux. Les troupes américaines s'étaient retirées de Saigon depuis un an, et beaucoup d'anciens combattants, traumatisés par ce qu'ils avaient vécu « là-bas », oscillaient désormais entre zone et clochardisation.

Elliott paya son plein d'essence et traversa la ville, fenêtres ouvertes, en repensant à cet incroyable tête-à-tête qu'il avait eu plus tôt dans la soirée. Depuis qu'il avait quitté Matt, il se sentait de nouveau seul et désarmé. Car il devait bien en

---

1. Pearl (la perle) était le surnom de Janis Joplin.

convenir : tout ce que lui avait raconté cet homme était vrai, depuis les raclées que lui administrait son père jusqu'à la culpabilité qu'il avait ressentie lors du suicide de sa mère.

Pourquoi n'avait-il jamais discuté de tout ça avec Ilena ? Pourquoi n'avait-il jamais envisagé de montrer ses faiblesses à la femme qu'il aimait ?

Et Matt ? Il ne lui avait rien raconté non plus. Par simple pudeur masculine ? La vérité, c'est que c'était plus commode. Avec Matt, tout était léger et frivole. Sa compagnie était un moyen confortable de se protéger des dures réalités du monde et de se ressourcer à bon compte quand les responsabilités de son métier devenaient trop pesantes.

Finalement, même si on n'avait toujours rien trouvé de mieux que l'amour et l'amitié pour rendre la vie supportable, sans doute y avait-il des situations dont on ne pouvait se sortir que tout seul.

★

À quelques kilomètres de là, le détective Malden s'activait dans son bureau du commissariat central. Quelques minutes plus tôt, il s'était disputé avec son subordonné qui lui reprochait d'avoir travaillé sur ses heures de service à une affaire d'ordre privé. Malden savait que Douglas avait les dents longues et qu'il espérait ouvertement son éviction dans l'espoir de bénéficier d'une promotion rapide. Lorsque ce petit con l'avait menacé d'un rapport, Malden lui avait dit ses quatre vérités avant de l'expédier dans un bureau éloigné du sien. C'est dommage : Douglas aurait pu être un bon flic, il en avait toutes les qualités, mais il n'avait pas choisi la bonne méthode pour y arriver. De son temps à lui, on ne cherchait pas à réussir à tout prix en éliminant les autres de sa trajectoire. Mais peut-être que Malden se faisait vieux. Peut-être que la jeune génération avait des valeurs nouvelles : plus d'ambition, plus d'initiative individuelle, comme le recommandait parfois le gouverneur Reagan à la télévision.

Malden termina son mug de café. Cette fois, il ne doutait pas que l'autre allait mettre ses menaces à exécution. Tant pis. Si les huiles de la police finissaient par avoir sa tête, eh bien il quitterait son boulot pour passer encore plus de temps à l'hôpital auprès de Lisa. De toute façon, la retraite n'était pas loin. En attendant, il allait aider Elliott une dernière fois en faisant le travail qu'il lui avait demandé.

Il commença par teinter les empreintes révélées sur le briquet avec un colorant fluorescent. Puis il utilisa son appareil photo pour prendre une série de clichés qu'il faudrait développer puis agrandir. Après seulement, commencerait la véritable analyse. Il regarda sa montre avec inquiétude. Un travail de bénédictin l'attendait. La nuit n'y suffirait pas.

★

Avant de rentrer à la marina, Elliott fit une halte dans une supérette de Van Ness ouverte 24 heures sur 24. Il acheta des cigarettes ainsi qu'un paquet de croquettes pour chien.

— Salut Rastaquouère, lança-t-il en poussant la porte de chez lui.

À peine avait-il franchi le seuil de la terrasse que le labrador accourut pour lui lécher le bout des doigts comme il l'avait fait deux heures plus tôt avec son étrange visiteur.

— Pas la peine de faire le fayot, prévint-il en versant les croquettes dans une écuelle improvisée.

Il resta un bon moment à regarder le chiot, tout étonné d'apprécier sa compagnie. Il balaya ensuite les éclats de verre et fuma quelques cigarettes, les yeux perdus dans le vide et l'esprit vagabondant du côté de son enfance. Toutes les cinq minutes, il regardait avec angoisse son téléphone dans l'attente du verdict que lui livrerait l'analyse des empreintes. Même si toute cette histoire ne tenait pas debout, il ne pouvait s'empêcher d'être fébrile, comme s'il attendait le résultat d'analyses médicales qui pouvaient lui révéler l'existence d'une maladie mortelle.

★

Le détective adjoint Douglas déchira le rapport qu'il venait de taper sur sa machine à écrire. Il se leva et descendit au rez-de-chaussée, dans la petite pièce qui servait de salle de repos aux policiers. Ce soir, le commissariat était étonnamment calme. Douglas prépara deux tasses de café avant de rejoindre le troisième étage et de frapper à la porte du bureau de Malden.

Pour toute réponse, Malden émit un grognement que Douglas décida d'interpréter comme une invitation.

— Besoin d'un coup de main ? demanda-t-il en passant la tête dans l'embrasure.

— Ça se pourrait… répondit le vieux policier d'un ton bourru.

Douglas tendit à son collègue l'une des tasses de café et regarda autour de lui attentivement.

Punaisés contre le mur, une dizaine de clichés agrandis plusieurs fois proposaient une plongée dans le dédale des empreintes digitales. Les flics aimaient les empreintes : « *les seuls dénonciateurs qui ne trompent ni ne mentent jamais* », avait-on coutume de dire dans le métier. Mises bout à bout, les photographies formaient une drôle de tapisserie semblable à une immense carte topographique : des lignes douces, des bifurcations, des crêtes, de petits îlots capables de se combiner en une infinité de possibilités. Une empreinte digitale est une œuvre d'art unique pour chaque individu, qui prend forme durant la vie intra-utérine. Dans le ventre de la mère, le fœtus subit une foule de petites situations stressantes qui, en se succédant de façon aléatoire, vont sculpter la pulpe des doigts. Tout se passe avant le sixième mois de grossesse. Après, les petites figures se figent pour ne plus bouger jusqu'à la mort.

À l'école de police, Douglas avait appris que chaque doigt comptait environ cent cinquante points caractéristiques. Pour décider si deux empreintes étaient identiques, il suffisait de repérer des concordances entre ces petits signes caractéristiques. Pour qu'une authentification ait une valeur légale, une douzaine de points communs étaient nécessaires.

— On se met au boulot, proposa-t-il à son supérieur.

Douglas avait de bons yeux.

Malden avait de la patience.

À eux deux, ils formaient une bonne équipe.

*

Lorsque le jour se leva, Elliott se décida à prendre une douche. Il passa des habits propres et quitta la maison pour prendre son service à l'hôpital. Sur la route, il dut allumer ses phares et ses essuie-glaces. En quelques heures, le temps avait changé du tout au tout. Le ciel, si dégagé la veille au soir, était maintenant chargé de nuages laissant présager l'un de ces matins pluvieux qui marquent l'entrée dans l'hiver.

Il alluma la radio pour écouter les nouvelles. Toutes inquiétantes : séisme meurtrier en Chine, répression militaire en Argentine, marée noire en France, massacre à Soweto dans l'Afrique du Sud de l'apartheid tandis qu'à Houston, un forcené barricadé chez lui cherchait à faire des cartons sur la foule.

Pendant ce temps, dans l'Amérique du Water-gate, la campagne présidentielle battait son plein pour savoir qui de Carter ou de Ford présiderait aux destinées du pays.

Désabusé, Elliott changea de station et termina son trajet avec les Beatles et *Let It Be*.

Il venait d'entrer dans le hall de l'hôpital lorsque le gardien l'interpella.

— Un appel pour vous, docteur !

Elliott prit le combiné qu'on lui tendait.

— J'ai tes résultats, lui annonça Malden.

Le médecin prit une grande inspiration avant de demander :

— Qu'est-ce que ça donne ?

— Les empreintes sont identiques.

Elliott mit plusieurs secondes pour encaisser l'information.

— Vous êtes sûrs de vos résultats ?

— Certains. Nous avons vérifié plusieurs fois.

Pourtant, Elliott n'était pas encore prêt à admettre l'évidence.

— Dans l'absolu, demanda-t-il, combien y a-t-il de chances pour que deux personnes différentes aient des empreintes identiques ?

— Une sur plusieurs dizaines de milliards. Même les vrais jumeaux en ont des différentes.

Comme le médecin semblait ne pas réagir, Malden réaffirma plus clairement sa conclusion.

— Je ne sais pas quel est ton problème, Elliott, mais les deux empreintes proviennent de la même personne. Il n'y a aucun doute possible. Et cette personne, c'est toi.

7

Je fais reculer la mort à force de
vivre, de souffrir, de me tromper, de
risquer, de donner et de perdre.

Anaïs NIN

Septembre 2006
Elliott a *60* ans

Les parois de verre guidaient la lumière vers
l'intérieur de la maison, laissant le soleil balayer
les murs avant d'éclabousser le parquet en noyer
de Californie.

Vêtu d'un vieux Levi's et d'un pull torsadé,
Elliott descendit l'escalier métallique qui menait
à la cuisine. C'était son jour de repos et il avait
bien l'intention de prendre son petit déjeuner sans
se presser. Douché et rasé de frais, il se sentait
ragaillardi. Ce matin, la maladie ne le faisait pas

souffrir comme si le spectre de la mort s'était éloigné à la faveur de l'épisode extraordinaire qu'il avait vécu la nuit précédente.

Il se prépara du jus d'orange et un bol de muesli qu'il alla déguster dans le jardin. La journée s'annonçait radieuse. Quelques images fugitives de son périple nocturne se bousculaient encore dans sa tête. Plus que de la perplexité, il ressentait surtout de l'exaltation. Il ne savait toujours pas quelle substance contenaient les pilules, n'empêche que ça marchait du tonnerre ! Surtout, ce deuxième « voyage » avait permis d'éclaircir plusieurs points. Il lui semblait maintenant comprendre un peu mieux les mécanismes de son retour vers le passé.

D'abord, son saut dans le temps avait été le même chaque fois : trente ans *jour pour jour*. Le premier soir, il avait regardé la date sur un panneau lumineux de l'aéroport et la veille, c'était le journal posé sur la table de la terrasse qui lui avait fourni l'information.

Ensuite, il pouvait visiblement transporter des objets dans le passé puisque ses vêtements l'avaient suivi à chacun de ses voyages. De même, il pouvait ramener des objets à son époque : le mouchoir taché de sang en était la meilleure preuve.

En revanche, quelque chose le laissait sur sa faim : la brièveté de son séjour dans le passé.

Une vingtaine de minutes chaque fois, c'était peu. Juste le temps d'échanger quelques paroles avec « son double » et il était déjà saisi de tremblements annonçant son retour vers le futur.

Mais peut-être était-il encore trop tôt pour trouver une vraie logique à ces régularités. En tout cas, une chose était certaine : c'est par l'intermédiaire des rêves qu'il pouvait traverser le temps.

De retour dans la maison, il s'installa devant l'écran de son ordinateur. Il était chirurgien, mais que savait-il réellement sur le sommeil et les rêves ? Pas grand-chose en fait. Il avait ingurgité des tonnes de connaissances lors de ses études, mais il en avait oublié beaucoup. Pour se rafraîchir la mémoire, il se connecta au réseau et passa l'heure suivante à consulter une encyclopédie médicale en ligne.

```
Le sommeil est constitué de différentes
phases qui se succèdent et se répètent
tout au long de la nuit.
```

Bon, ça, d'accord, il s'en souvenait. Quoi d'autre ?

```
Le sommeil léger correspond aux phases
du Sommeil à Ondes Lentes et le sommeil
profond à celles du Sommeil Paradoxal.
```

Le *Sommeil Paradoxal* ? Ça lui disait quelque chose…

Cette expression désigne la phase du sommeil où l'activité cérébrale est la plus intense alors que le corps est en atonie totale avec un relâchement de toute la musculature de la nuque jusqu'aux pieds.

Bon, et les rêves dans tout ça ?

Durant notre vie, nous passons en moyenne vingt-cinq ans à dormir et une dizaine d'années à rêver. Cela représente entre 100 000 et 500 000 rêves.

Elliott resta songeur devant ce dernier chiffre. Ainsi, notre vie humaine était traversée de centaines de milliers de rêves ! C'était fascinant et inquiétant à la fois. Sentant qu'il était sur la bonne piste, il s'autorisa à allumer une cigarette puis continua sa lecture pour apprendre que :

La période de sommeil paradoxal survient environ toutes les quatre-vingt-dix minutes pour durer un bon quart d'heure. C'est pendant cette phase qu'apparaissent les rêves les plus denses.

Cette dernière révélation le fit s'agiter sur sa chaise. Tout concordait : la veille, il s'était endormi vers 22 heures pour « réapparaître » 30 ans plus tôt aux alentours de 23 h 30. La durée de son voyage avait donc été de 90 minutes : le même laps de temps que pour atteindre la première phase de sommeil paradoxal !

Voilà, c'était ainsi que ça fonctionnait : lors de cette période d'activité cérébrale, la substance contenue dans la pilule provoquait chez lui un retour vers le passé. Tout ça pouvait sembler complètement dingue, mais il était arrivé à une période de sa vie où à force de ne plus croire en rien, il était prêt à croire en tout.

Par quelques clics de souris, il continua l'exploration de ce continent mystérieux pour constater que si la science avait découvert beaucoup de choses sur le *comment* rêvent les hommes, elle ne disait pas grand-chose sur le *pourquoi*. À bien des égards, le rêve restait quelque chose d'énigmatique. Comme toute activité programmée du corps ou du cerveau, le rêve devait bien avoir une fonction, un but…

Mais lequel ?

Personne n'avait encore apporté de réponse scientifique à cette question.

Bien sûr, il y avait tous ces délires ésotériques qui remontaient à l'Égypte ancienne et qui envisageaient les rêves comme des signes envoyés par les dieux ou par un monde invisible. Mais quel crédit accorder à ces fariboles ?

Elliott réfléchissait à ces diverses hypothèses lorsqu'un coup de fil interrompit sa réflexion. Il décrocha et reconnut la voix de Samuel Below, le responsable du labo de l'hôpital à qui il avait confié les résidus trouvés au fond du flacon de pilules.

— J'ai les résultats de tes analyses, annonça Bellow.

*

1976
Elliott a *30* ans

À la même heure, trente ans plus tôt, Elliott terminait son café dans la salle de repos du Lenox Hospital.

Pour la dixième fois de la matinée, le jeune médecin réexaminait les photos des empreintes digitales que Malden lui avait fait parvenir par coursier. À présent, il était bien forcé de croire à l'incroyable : quelque part dans le futur, un « autre lui-même » avait trouvé la possibilité de voyager dans le temps et de lui rendre quelques petites visites.

Quant à savoir comment il y parvenait... c'était une autre histoire !

Elliott n'avait jamais été un gros lecteur de

science-fiction, mais à la fac il avait étudié Einstein et sa théorie de la relativité. Et que disait l'oncle Albert à propos du voyage dans le temps ? Qu'il était tout à fait envisageable… à la seule condition de pouvoir dépasser la vitesse de la lumière. Or, il imaginait mal son étrange visiteur se mettre à tourner autour de la Terre, à 300 000 kilomètres par seconde, tel un Superman vieillissant.

La réponse était donc à chercher ailleurs.

Peut-être du côté des trous noirs ? Il avait vu un reportage à la télévision sur ces étoiles en fin de vie, dotées d'un champ gravitationnel capable de courber l'espace-temps. Théoriquement, rien n'interdisait d'imaginer qu'un corps, aspiré par l'un de ces trous noirs, puisse ressortir dans une autre époque ou dans un autre univers.

Logique… sauf qu'aucun trou noir n'avait pu encore être observé à ce jour et qu'il était peu probable qu'un corps humain traverse une telle zone sans être déchiqueté et réduit en poussière.

De plus, c'était sans compter sur les nombreux paradoxes temporels qui faisaient le bonheur des films et des livres du genre. Et si, en revenant dans le passé, vous empêchiez la rencontre de votre futur père et de votre future mère ? Et si vous tuiez vos parents avant qu'ils ne vous conçoivent ? On entrait alors dans un cercle vicieux d'existence et de non-existence :

J'ai tué mon ancêtre.

Donc, je ne suis pas né.

Donc, je n'ai pas tué mon ancêtre.

Donc, je suis né.

Donc, j'ai tué mon ancêtre.

Donc…

Elliott soupira : décidément, accepter la possibilité d'un tel voyage revenait à violer une dizaine de lois physiques et à nier tous les principes de causalité et de cohérence logique.

Et pourtant…

Pourtant, les clichés qu'il tenait entre les mains étaient bien la preuve que toute cette histoire était vraie. *La preuve scientifique suprême*, pensa-t-il en faisant référence à l'unicité des empreintes de chaque individu.

L'esprit ailleurs, il fit jouer la pierre du briquet tempête que lui avait restitué Malden, provoquant une petite gerbe d'étincelles. Puis il ferma le clapet du Zippo et se leva brusquement de sa chaise. Impossible de rester en place ! Ces dernières heures, il avait dû ingurgiter une douzaine de cafés. La peur qu'il avait éprouvée cette nuit n'avait pas disparu, mais elle se mêlait à l'excitation de vivre quelque chose qui le dépassait. Il était un homme ordinaire à qui il arrivait quelque chose d'extra-ordinaire. Où tout cela allait-il le mener ? Il n'en avait pas la moindre idée. À partir de maintenant, il entrait dans l'inconnu et il n'était pas sûr de savoir faire face à ce qui l'attendait.

Il se resservit une tasse de café et ouvrit la fenêtre qui donnait sur la rue. Comme il était seul dans la pièce, il alluma nerveusement une cigarette qu'il grilla du bout des lèvres en prenant garde de ne pas déclencher le détecteur de fumée. Depuis quelques minutes, une question trottait sans relâche dans sa tête. Pouvait-il communiquer avec cet autre lui-même qui vivait dans le futur ? Pourquoi pas ? Mais, comment procéder et quel message envoyer ?

Il réfléchit quelques instants à ce problème sans trouver de solution évidente. Comme une comète venue de nulle part, une idée insensée traversa son esprit, mais il la rejeta. Non, il ne fallait pas faire n'importe quoi, il devait se calmer, mettre cette histoire de côté pendant un moment et retourner à son travail.

Plein de bonnes résolutions, il s'installa à une table devant une pile de dossiers pour terminer ses comptes rendus d'opération. Pourtant, au bout d'à peine deux minutes, il renonça à faire sem-blant. Comment se concentrer après ce qu'il venait de vivre ! Il regarda sa montre : il n'avait pas d'opération avant deux bonnes heures et avec un peu de chance, il trouverait quelqu'un pour le remplacer dans sa garde. Il enleva sa blouse, attrapa sa veste et vida les lieux.

Cinq minutes plus tard, il avait quitté l'hôpital.

Alors qu'il sortait du parking, il croisa l'un des camions si typiques de Federal Express. Grisé par ce qu'il était en train de vivre, il haussa les épaules d'un air de défi.

FedEx et UPS pouvaient aller se rhabiller.

Lui, Elliott Cooper, allait envoyer un message trente ans dans le futur...

★

2006
Elliott a *60* ans

— J'ai les résultats de tes analyses, annonça Bellow.

— Qu'est-ce que ça donne ?

— Eh bien c'est exotique ton truc : un mélange à base de plantes, essentiellement des feuilles de mûrier et de néflier.

Elliott n'en croyait pas ses oreilles.

— Rien d'autre ?

— Non. Si tu veux mon avis, ce médicament

ne peut pas guérir grand-chose : c'est un simple placebo.

Abasourdi, le médecin raccrocha. Ainsi, il n'y avait pas d'ingrédient magique dans les pilules. Le vieux Cambodgien, l'histoire du *faites un vœu*, l'espoir de revoir Ilena... Tout cela c'était du folklore. Les métastases avaient dû atteindre son cerveau. La rencontre avec son double, trente ans plus tôt, n'avait sans doute eu lieu que dans sa tête : la simple divagation d'un homme arrivé à la fin de sa vie et qui avait peur de mourir.

Elle était là, la fonction des rêves ! Pas à rechercher du côté de la science, mais plutôt de la psychanalyse. Les rêves n'étaient qu'une représentation de désirs refoulés, une sorte de soupape de sécurité permettant à l'inconscient de s'exprimer sans trop mettre en danger l'équilibre psychique. Elliott avait tapé à la porte d'Albert Einstein et c'est Sigmund Freud qui lui ouvrait !

Voilà, un simple coup de fil lui avait remis les pieds sur terre. La magie était bien retombée et, dans la lumière crue du matin, ce qui lui paraissait si réel cette nuit n'était plus qu'une folle chimère. Il avait tant voulu y croire, mais non... Cette belle aventure, cette brève traversée du temps n'était qu'une mise en scène de son esprit. La maladie et l'imminence de sa mort l'avaient poussé à

145

fantasmer sur ce possible retour vers une période charnière de son passé.

La vérité, c'est qu'il crevait de trouille. Il refusait d'accepter que sa vie soit déjà terminée. Tout était passé si vite : enfance, adolescence, jeunesse, âge mûr… Quelques battements de paupières et il faudrait déjà partir ? Putain, soixante ans c'était trop tôt ! Il n'avait pas l'impression d'être un vieillard. Avant qu'on lui diagnostique ce cancer, il pétait encore la forme. Lors de ses missions humanitaires, il crapahutait à travers les montagnes, laissant souvent sur place les jeunots de trente ou quarante ans. Et Sharika, son interne indienne, belle comme le jour, c'est avec lui qu'elle voulait sortir, pas avec l'un de ces minets qui commençaient à peine leur clinicat !

Mais tout ça, c'était fini, révolu. Devant lui, ne l'attendaient plus que la mort et la peur.

La peur de voir son corps s'affaiblir.

La peur de souffrir et de perdre son autonomie.

La peur de crever tout seul dans la chambre blême d'un hôpital.

La peur d'abandonner sa fille dans ce monde incertain.

La peur qu'au final, sa vie n'ait pas eu de signification.

Et la peur de ce qui l'attendait *après*. Une fois qu'il aurait rendu l'âme et plongé de *l'autre côté*.

Et merde…

Il essuya une larme de rage qui coulait le long de sa joue.

À présent, une sale douleur lui striait les entrailles. Il passa dans la salle de bains, trifouilla dans l'armoire à pharmacie pour prendre un antalgique et se passer un peu d'eau sur le visage. Dans le miroir, l'homme qui le regardait avait les yeux brillants et injectés de sang.

Combien de temps lui restait-il ? Quelques jours ? Quelques semaines ? Comme jamais, il ressentait l'urgence de vivre, de courir, de respirer, d'échanger, d'aimer…

On ne peut pas dire qu'il avait loupé sa vie : il était père d'une fille qu'il adorait, il avait été utile, il avait voyagé, connu bien des satisfactions et passé du bon temps avec Matt.

Mais il lui avait toujours manqué quelque chose.

Ilena…

Depuis sa mort, trente ans plus tôt, il avait vécu comme en pointillé, plus spectateur que véritable acteur de son existence. Et c'est vrai que ces derniers jours, il s'était plu à croire à cette idée de voyage dans le temps.

Juste pour cet espoir un peu fou de revoir Ilena avant de mourir.

Mais à présent, l'illusion s'était dissipée et il

souffrait de s'être laissé duper. *Tu cesseras d'avoir mal quand tu auras cessé d'espérer*, disait la sagesse populaire.

Et Elliott ne voulait plus avoir mal.

Alors, pour éteindre à jamais la dernière lueur d'espoir qui brillait encore dans son cœur, il jeta le petit flacon de pilules dans la cuvette des toilettes.

Il hésita un moment…

… puis tira la chasse d'eau.

★

1976
Elliot a *30* ans

Elliott gara sa Coccinelle dans Mission District, le long de Valencia Street. À cette heure de la journée, le quartier hispanique de San Francisco bourdonnait déjà d'activité. Avec ses boutiques bon marché, ses *taquerias* et ses étals de fruits, Mission était l'un des endroits les plus pittoresques de la ville.

Le médecin arpenta l'avenue au milieu d'une foule bruyante et bariolée. Partout dans la rue, des fresques murales aux couleurs vives animaient les façades des immeubles. Elliott s'arrêta quelques instants devant ces peintures fascinantes où planait l'ombre de Diego Rivera[1]. Mais il n'était pas là pour jouer au touriste. Il reprit sa course en pressant le pas. L'endroit dégageait une ambiance brute et électrique qui plaisait à ceux qui voulaient s'encanailler, mais il avait aussi ses mauvais côtés tels les gangs chicanos qui, en invectivant les passants, gâchaient l'atmosphère conviviale du quartier.

Au croisement de Dolores Street, après une enfilade de clubs de salsa et de boutiques d'articles religieux, il repéra enfin l'enseigne qu'il cherchait.

BLUE MOON : BIJOUX & TATOUAGES

Il poussa la porte de la boutique pour tomber nez à nez avec un poster un peu glauque de Freddy Mercury. Travesti en fille, le chanteur de *Queen* mimait l'acte sexuel de façon outrancière. Sur la platine, près de la caisse enregistreuse, un 33 tours égrenait à plein volume les rythmes reggae de Bob Marley que l'on commençait à apprécier depuis qu'Eric Clapton avait repris *I shot the sheriff*, l'année précédente.

Elliott soupira. Il n'était pas vraiment dans son

---

1. Peintre mexicain, compagnon de Frieda Kahlo, auteur de compositions murales à tendance sociale.

élément ici, mais pas question de perdre sa contenance pour autant.

— Kristina ? appela-t-il en se dirigeant vers l'arrière-boutique.

— Docteur Cooper ! Ça, pour une surprise !

Grande et blonde, la femme qui lui faisait face avait un look d'enfer : cuissardes de motard, microshort en cuir et tatouage érotico-gore dans le bas du dos.

Elliott l'avait rencontrée à l'hôpital, six mois auparavant, lorsqu'il avait opéré son fils d'une malformation des reins. Depuis, il suivait régulièrement le bébé, un petit Chinois que Kristina élevait avec sa compagne Leila, une infirmière qui travaillait dans le même service que lui. Dès leur première rencontre, Elliott avait été intrigué par la liberté de cette fille, diplômée de Berkeley, spécialiste des civilisations asiatiques, mais qui avait préféré ouvrir une boutique de tatouages plutôt que d'enseigner dans une université. Kristina menait sa vie comme elle l'entendait et affichait ouvertement son homosexualité. Cela ne posait pas de problèmes à San Francisco : depuis quelques années déjà, les gays avaient supplanté les hippies comme groupe phare de la cité. Attirés par la tolérance de cette ville, des dizaines de milliers d'homosexuels s'étaient massivement installés dans les quartiers de Castro et de Noe Valley.

— Je suis à vous dans deux minutes, dit-elle en lui désignant un siège.

Le médecin prit place sur un fauteuil, à côté d'un travesti sud-américain qui terminait de se faire percer les oreilles. Un peu embarrassé, il demanda s'il pouvait utiliser le téléphone et appela Matt pour l'informer des dernières nouvelles. Lorsque Elliott lui communiqua le résultat de l'analyse des empreintes, son ami ne parut pas troublé outre mesure.

— Ce type, à part toi, personne ne l'a jamais aperçu, fit-il remarquer. Si tu veux mon avis, cette histoire n'a eu lieu que dans ton esprit.

— Comment ça, dans mon esprit ! s'énerva Elliott. Et ce briquet *Millenium Edition*, avec mes propres empreintes, c'est dans mon esprit ça ?

— Écoute, mon vieux, ce briquet, c'est sans doute toi qui l'as acheté, mais tu ne t'en souviens plus, c'est tout.

Elliott était soufflé :

— Donc, tu ne me crois pas ?

— Non, avoua Matt, et j'espère que si je te racontais une histoire pareille, toi non plus tu ne me croirais pas et que tu chercherais plutôt à me remettre sur le chemin de la raison.

— Merci pour ton soutien ! répliqua son ami.

Et il raccrocha, fort mécontent.

— Alors docteur, qu'est-ce que je vous fais ?

demanda Kristina en l'invitant à s'installer. Ça vous
dirait un tatouage de Hell's Angels ou un grand
dragon sur le dos ?

— Ni l'un ni l'autre, dit-il en relevant la manche
de sa chemise. En fait, je voudrais juste une petite
inscription, là, en haut de l'épaule.

— Vous ne préférez pas quelque chose de
plus esthétique ? fit-elle en préparant son aiguille.
Regardez celui-là.

Kristina écarta légèrement sa jambe, dévoilant
une sorte de diable japonais, pris dans la résille
de ses bas, qui remontait sur le haut de sa cuisse
avant de se perdre dans le mystère de son intimité.

— C'est une véritable œuvre d'art, concéda
Elliott, mais ce n'est pas exactement mon style.

— Dommage, vous êtes plutôt beau mec et un
tatouage sur le corps de son amant, y a rien de
plus sexy !

— Je ne crois pas que ma compagne serait de
cet avis.

— Les femmes réservent souvent des surprises.

— Ça, en revanche, je veux bien le croire.

Il attrapa un stylo dans la poche intérieure de sa
veste et s'en servit pour griffonner quelques mots
au dos d'un magazine.

— Voilà ce que je veux, indiqua-t-il en tendant
la revue à Kristina.

La jeune femme fronça les sourcils :

— C'est un langage codé, votre truc !

— Disons que c'est un message personnel, à destination d'un vieil ami.

La tatoueuse vérifia les aiguilles de son dermographe.

— Ça va faire un peu mal au début puis la douleur va s'atténuer. Pas de regret ?

Elliott ferma brièvement les yeux. Pouvait-on vraiment interagir entre le présent et le futur ? Ça paraissait absurde, mais il devait tenter le coup. Pour se donner du courage, il imagina la tête qu'allait faire son alter ego, trente ans plus tard dans le futur, s'il recevait son message.

— Pas de regret, trancha-t-il.

Alors que le bruit strident de l'appareil envahissait la pièce, Kristina affirma comme un credo :

— Le corps est l'un de nos derniers espaces de liberté.

★

2006
Elliott a *60* ans

Après avoir tiré la chasse d'eau sur le flacon de pilules, Elliott, encore sous le coup de la déception, s'était allongé sur le canapé d'angle du salon. À midi, il avait rendez-vous avec Angie et il ne tenait pas à débarquer devant sa fille avec la gueule d'un zombie. Les yeux fermés, il écoutait sa respiration qu'il aurait voulue limpide et régulière, mais qui était heurtée et encombrée. Il se sentait étouffer, incapable de reprendre son souffle. La maladie qui faisait son office à l'intérieur de son organisme contrastait avec la douceur de la lumière filtrant par les claires-voies. À travers la fenêtre, il entendait le bruit de la mer et le gazouillis des oiseaux. Dehors, la vie continuait, mais il n'en faisait plus partie. Malgré le soleil, son corps était parcouru de frissons, sans doute un début de fièvre. Dans le même temps, il perçut une gêne en haut du bras, à la naissance de l'épaule. Ce n'était pas à proprement parler une douleur, plutôt une sensation d'incrustation. De la main, il frotta son muscle engourdi. Mais cela resta sans effet. Il se mit debout, enleva son pull et remonta la manche de son tee-shirt.

D'abord, il ne distingua pas grand-chose : une

vague tache marbrée, couleur vert bouteille, qui semblait s'étendre sur son épaule. Intrigué, il se posta devant le large miroir de la salle de bains. Dans le reflet de la glace, il comprit que ces étranges marbrures étaient en réalité des lettres qui se formaient les unes après les autres !

Un moment, il resta hébété, se demandant ce qui lui arrivait. Puis enfin, il comprit…

— Ah, le petit enfoiré ! lâcha-t-il.

Son cœur usé battait la chamade, mais il était soulagé. Non, il n'était pas fou. Tout cela n'avait pas eu lieu seulement dans sa tête. Trente ans plus tôt, le p'tit gars tentait de lui envoyer un message en se faisant tatouer quelque chose sur la peau.

Pas con, le gamin… pensa-t-il en se rapprochant du miroir.

Là, il se regarda dans les yeux et les vit qui brillaient. C'était bête, mais il pleurait de joie. Sans doute allait-il crever bientôt, mais en attendant, il n'était pas encore sénile !

Sur son épaule, s'étalait en lettres de plomb une courte phrase :

WAITING FOR
YOUR NEXT VISIT[1]

---

1. J'attends ta prochaine visite.

Oui, bien sûr qu'il y aurait une prochaine visite, sauf que… il avait été assez stupide pour se débarrasser des pilules !

Paniqué, il s'agenouilla devant les toilettes et plongea la main au plus profond de la cuvette, espérant sans trop y croire que le flacon n'ait pas été aspiré.

Non, il ne fallait pas rêver.

Il se releva dépité, mais tenta de réfléchir calmement. Par où s'écoulaient les eaux ? Il ne savait pas trop : le bricolage et la plomberie n'avaient jamais été son fort. Alors, il se rua dans son garage et leva les yeux au plafond pour y découvrir un enchevêtrement de canalisations. Il suivit le tuyau principal jusqu'à une plaque de fonte : le bac à dégraissage. Avec un peu de chance, le flacon aurait été bloqué à ce niveau. Il souleva le regard en métal, trifouilla à mains nues dans cette mélasse sans rien y trouver.

C'était la fin de l'aventure. Le flacon avait dû continuer sa route jusqu'à une station d'épuration et jamais il ne le retrouverait.

Putain, il avait tout gâché sur un mouvement d'humeur !

Que pouvait-il tenter d'autre ? En désespoir de cause, il sortit dans la rue et s'en alla sonner chez ses plus proches voisins, un couple de seniors DHEA-Viagra, plus liftés que ridés, obsédés par l'entretien de leur corps et leur alimentation.

— Bonjour Nina, salua-t-il sa voisine depuis le perron.

— Bonjour Elliott, qu'est-ce qui vous amène ? demanda-t-elle en le détaillant des pieds à la tête, surprise de le voir débarquer les bras et les mains recouverts d'une boue malodorante.

Déjà qu'elle ne m'aimait pas beaucoup, pensa-t-il, *moi le criminel qui fume, boit du vrai café et mange de la viande pleine de cholestérol...*

— Est-ce que Paul pourrait me prêter quelques outils ?

— Paul est allé nager, mais venez voir dans la remise si vous trouvez quelque chose.

Elliott la suivit dans ladite remise où il trouva effectivement son bonheur sous la forme d'une hache à incendie.

— Euh… vous êtes sûr que tout va bien Elliott ? fit-elle en le voyant s'emparer de l'arme blanche.

— Très bien Nina, certifia-t-il en lui lançant un sourire à la Jack Nicholson dans *Shining*.

Il quitta le local pour regagner son garage. Là, il entreprit la démolition méthodique de tout ce qui, de près ou de loin, ressemblait à une canalisation. L'opération prit une bonne demi-heure, provoquant une belle inondation dans le local. Chaque fois qu'il abattait un tuyau, il vérifiait si le flacon ne s'était pas coincé dans un coude.

Ne laisse rien au hasard. Tiens bon tant qu'il reste une chance.

C'est ce qu'il avait toujours fait dans son métier et, en trente-cinq ans de carrière, il lui était parfois arrivé de sauver des cas désespérés.

Alors, pourquoi pas aujourd'hui ?

Sa hache à la main, de l'eau jusqu'aux genoux, Elliott aurait pu facilement passer pour un fou. *Si la police débarque maintenant, j'aurai du mal à échapper à l'internement*, se dit-il, lucide, en abattant fiévreusement une nouvelle canalisation.

Et d'ailleurs, c'était peut-être ce qu'il était : un fou, mais *le fou se croit sage et le sage reconnaît lui-même n'être qu'un fou*. Qui avait dit ça, déjà ? Shakespeare ? Jésus ? Bouddha ? Il avait sacrément raison en tout cas.

Et même s'il était fou, au moins, il se sentait vivant.

Vivant.

VIVANT.

Un dernier coup de hache détruisit ce qui restait de tuyauterie.

À bout de forces, Elliott tomba à genoux dans l'eau glacée.

Il resta ainsi un bon moment, épuisé et vaincu. Voilà, c'était fini. Les pilules avaient disparu à jamais.

Et puis, tout à coup…

Il apparut : un petit flacon en verre, de forme cylindrique, qui flottait tranquillement sur l'eau.

Elliott se jeta sur le récipient comme sur le Saint-Graal. Tremblant, il s'essuya les mains sur sa chemise avant d'ouvrir le flacon hermétique. Les huit gélules étaient toujours là, bien au sec.

Hagard, effondré dans la vase, les poings crispés sur le petit cylindre, Elliott poussa un soupir de soulagement.

Il n'avait peut-être plus que quelques semaines à vivre, mais il venait de retrouver l'essentiel.

L'espoir.

8

Vous pouvez tout faire, penser ou croire, posséder toute la science du monde, si vous n'aimez pas, vous n'êtes rien.

Marcelle SAUVAGEOT

2006
Elliott a *60* ans

Elliott guettait par la fenêtre le taxi qu'il avait commandé. Après avoir pataugé dans les eaux croupies de son garage, il avait cru ne jamais pouvoir se débarrasser de l'odeur fétide qui lui collait à la peau, mais une bonne douche et des habits propres lui avaient redonné une apparence plus civilisée. Pour arrêter l'inondation, il avait dû couper le compteur d'eau et s'était vu contraint d'utiliser la salle de bains de ses voisins. Ne restait plus qu'à appeler un plombier, mais ça pouvait attendre quelques heures. Sa priorité immédiate était de se rendre en ville pour y retrouver sa fille qui arrivait directement de l'aéroport.

Il se regarda dans le miroir. Physiquement, il faisait encore illusion, mais « à l'intérieur » tout semblait craquer : douleurs thoraciques, troubles musculaires, brûlures au bas du dos... Le cancer faisait son œuvre, lentement mais sûrement.

En quête d'un stimulant, il fouilla dans le tiroir d'une armoire en bois laqué pour y récupérer une cigarette à moitié fumée qui ne contenait pas que du tabac. Il chercha dans sa poche, mais fut incapable de mettre la main sur son briquet : un Zippo que lui avait offert sa fille lors du passage au nouveau millénaire. Contrarié, il se rendit jusqu'à la cuisine où il alluma son joint avec une allumette. Il n'était pas particulièrement un adepte de la fumette et ne militait pas pour défendre les vertus médicales du cannabis. N'empêche qu'aujourd'hui, il allait s'autoriser cette petite automédication. Il aspira deux ou trois bouffées qui le firent se sentir un peu plus vaillant. Puis il ferma les yeux pour faire le vide en lui, jusqu'à ce que les coups de klaxon du taxi le tirent de son introspection.

★

Il avait quelques minutes d'avance pour son rendez-vous lorsqu'il arriva au *Loris' Diner*, le restaurant préféré de sa fille. Il monta à l'étage où la serveuse l'installa à une petite table contre la baie vitrée qui dominait Powell Street. Juché sur un haut tabouret, Elliott s'amusa à regarder la chorégraphie des cuisiniers qui grillaient des steaks, cassaient des œufs et doraient des tranches de bacon sur une immense plaque de fonte. C'était un endroit original, entièrement décoré à la mode des années cinquante, servant de généreuses portions de nourriture américaine classique : celle d'avant le cholestérol et d'avant les régimes. Celle qu'il est de bon ton de décrier, mais que tout le monde apprécie secrètement : burgers, frites maison, ice-creams et milk-shakes. Au milieu de la pièce, un juke-box coloré enchaînait les tubes d'Elvis tandis que dans le fond, au-dessus d'une rangée de flippers, une authentique Harley Davidson était suspendue au plafond par un enchevêtrement de câbles.

Lorsqu'il venait ici, Elliott avait toujours l'impression d'être dans le film *Retour vers le futur* et, chaque fois que la porte s'ouvrait, il s'attendait presque à voir débarquer Marty McFly flanqué de Doc Brown et de son fidèle Einstein[1]. Il se faisait

---

1. Les deux héros (et leur chien) du film précité.

justement cette réflexion lorsqu'un nouveau client pénétra dans la salle. Mais ce n'était pas Marty...

C'était une jeune femme aux cheveux blonds et raides qui répandait autour d'elle une véritable lumière.

Une jeune femme de vingt ans.

Une jeune fille.

Sa fille.

Angie.

Il la vit arriver de loin et pendant un moment il la regarda sans qu'elle se sache observée.

Indéniablement, elle avait de l'allure avec son pull en cachemire, long et cintré, sa jupe en velours – qu'il jugea trop courte – ses collants d'un noir brillant et ses bottes en cuir. Malheureusement, il n'était pas le seul à la regarder : à la table d'à côté, un jeune péteux s'extasiait devant ses copains sur « la bombe atomique » qui venait vers eux. Elliott lui jeta un regard mauvais. En tant que père, il maudissait sans exception tous ces porteurs de testostérone qui ne voyaient dans sa fille qu'un objet sexuel.

Enfin, Angie l'aperçut et leva joyeusement le bras dans sa direction.

Tandis qu'elle avançait vers lui, radieuse et aérienne, il prit pleinement conscience que sa fille était sans conteste ce qu'il avait accompli de mieux de toute son existence. Naturellement, il n'était pas le premier parent à éprouver cette sensation, mais elle prenait un sens différent à présent qu'il était tiraillé par la maladie et que la mort allait gagner sa dernière bataille.

Et dire que pendant longtemps il n'avait pas voulu d'enfant !

Il avait grandi dans une ambiance familiale oppressante, entre l'alcoolisme de son père et la fragilité mentale de sa mère. Pas le genre d'enfance qui vous incite à devenir père à votre tour. Aujourd'hui encore, les souvenirs les plus vivaces qu'il avait de cette époque étaient des images de violence et de peur et il savait qu'elles avaient verrouillé pour longtemps son accès à la paternité. C'était compliqué d'expliquer pourquoi : sans doute la crainte de ne pas savoir aimer et de faire souffrir à son tour...

Une chose en tout cas était certaine : l'idée de devenir père le renvoyait tellement aux souffrances de son enfance qu'il avait refusé à la seule femme qu'il ait jamais aimée d'avoir un bébé avec elle.

Et y repenser lui broyait le cœur d'une façon intolérable.

Puis Ilena était morte et les dix années qui avaient suivi sa disparition n'avaient été pour lui qu'un cauchemar sans fin. Il s'était enfoncé dans un tunnel de désespoir, ne gardant la tête hors de l'eau que grâce à la présence de Matt et à son travail auquel il s'était accroché comme à une bouée.

Bien sûr, il avait rencontré d'autres femmes, mais elles avaient traversé sa vie sans s'y arrêter et lui-même avait pris soin de ne jamais les retenir. Mais un jour, lors d'un congrès de médecine en Italie, sa route avait croisé celle d'une cardiologue de Vérone. Ça n'avait été qu'une brève aventure, le temps d'un week-end, et ils n'étaient pas restés en contact. Sauf que neuf mois plus tard, elle lui avait annoncé qu'elle venait de mettre au monde une petite fille et que cet enfant était de lui. Cette fois, il était mis devant le fait accompli. Pas moyen de se défiler, d'autant plus que la mère n'avait pas vraiment la fibre maternelle et qu'elle ne comptait pas du tout élever l'enfant toute seule. Trois mois après la naissance, Elliott était allé récupérer Angie en Italie et d'un « commun accord », l'enfant ne revit plus sa maman que pendant les vacances.

Sans s'y être préparé, il était donc devenu père et sa vie s'était transformée. Après une traversée des ténèbres, son existence avait enfin retrouvé un sens. Désormais, chaque soir, avant de s'endormir, son dernier geste était de s'assurer que le sommeil de sa fille n'était pas perturbé. Désormais, le mot

« avenir » faisait à nouveau partie de son vocabulaire, en bonne place à côté de « biberon », « paquet de couches » et « lait maternisé ».

Bien sûr, il y avait plus que jamais la pollution, la dégradation de la couche d'ozone, le monde qui lentement courait à sa perte, la société consumériste qu'il supportait de moins en moins et son travail qui ne lui laissait pas une minute de libre. Mais tous ces arguments pesaient soudain peu de poids face à un bébé de quelques kilos, à ses yeux brillants et à son sourire fragile.

Aujourd'hui, alors qu'il la regardait avancer vers lui dans ce restaurant, il se remémorait les premières années, lorsqu'il l'avait élevée tout seul, sans même une femme pour l'aider. Au début, il avait bien cru qu'il n'y arriverait pas et il avait brièvement paniqué. Comment faisait-on pour être père ? Il n'en avait aucune idée et cela n'était expliqué nulle part. Certes, il était chirurgien pédiatre, mais ça ne lui était pas d'une grande utilité dans la vie quotidienne. Si encore elle avait eu besoin qu'on lui recouse un petit ventricule ou qu'on lui fasse un quadruple pontage coronarien, il aurait été utile, mais ce n'était pas le cas.

Puis il avait compris le grand secret : on ne naît pas père, on le devient. En improvisant au fur et à mesure les décisions que l'on devine être les bonnes pour son enfant.

Il avait attendu quarante ans avant de comprendre qu'il n'y avait pas d'autre réponse, pas d'autre solution que l'amour.

Exactement ce que n'avait jamais cessé de lui répéter Ilena à l'époque, mais il avait alors coutume de lui répondre : *« Si c'était si facile »*.

Et pourtant, ça l'était.

★

— Salut, p'pa, dit Angie en se penchant pour l'embrasser.

— Hello, *Wonder Woman*, répondit-il, en faisant allusion à sa jupe courte et à ses bottes cuissardes. Comment s'est passé ton vol ?

— Très vite : j'ai dormi tout le temps !

Angie s'installa sur le tabouret en face de lui, posant sur la table un gros trousseau de clés et un minuscule téléphone portable chromé.

— J'ai une faim de loup ! fit-elle en s'emparant de la carte pour vérifier que son hamburger préféré était toujours au menu.

Rassurée sur ce point, elle se lança dans un discours enthousiaste, égrenant mille anecdotes sur ses études de médecine et sa vie à New York. C'était une fille intelligente et généreuse, très idéaliste et toujours soucieuse de bien faire tout ce qu'elle entreprenait. Elliott ne l'avait pas particulièrement poussée à choisir une carrière médicale, mais elle était tournée vers les autres et elle affirmait qu'elle tenait ça de lui.

Il la trouva détendue, rayonnante, magnifique.

Hypnotisé par ses éclats de rire en cascade, il se demandait comment il allait être capable de lui annoncer sa maladie. Pas facile pour une jeune fille de vingt ans d'apprendre soudainement que son père est atteint d'un cancer en phase terminale et qu'il n'a plus que deux ou trois mois à vivre…

Elliott connaissait bien sa fille. Même depuis son départ à New York, ils étaient restés très proches. Malgré son allure et son corps de femme, c'était encore une enfant émotive et il se doutait bien qu'elle ne réagirait pas de manière posée à ce qu'il allait lui révéler.

Dans sa profession, plusieurs fois par semaine, il devait annoncer à des gens éplorés que leur enfant, leur conjoint ou leur parent n'avait pas survécu à une opération. C'était toujours un moment difficile, mais avec le temps il avait appris à accepter cette dimension de son métier.

Oui, en tant que médecin, il côtoyait la mort

tous les jours, mais c'était la mort des autres, pas la sienne...

Bien sûr, il avait un peu peur de ce qui allait lui arriver. Il ne croyait pas vraiment à la vie éternelle ni à une quelconque réincarnation. Il savait que ce qui l'attendait était non seulement la fin de sa vie terrestre, mais aussi la fin de sa vie tout court. Son corps cramerait dans un incinérateur, Matt irait sans doute répandre ses cendres dans un endroit sympa et basta ! Fin de la partie !

Voilà ce qu'il aurait aimé expliquer calmement à sa fille : qu'elle ne devait pas s'inquiéter pour lui, car il saurait faire face à la situation. Et d'ailleurs, si on y réfléchissait objectivement, sa mort n'était pas un scandale absolu : il n'aurait pas craché sur quelques décennies supplémentaires, mais il avait eu le temps de goûter aux saveurs de la vie, d'en éprouver les joies, les peines et les surprises...

— Et toi, tu vas bien ? demanda Angie tout à trac, le tirant soudain de sa réflexion.

Il la regarda avec attendrissement tandis qu'elle relevait la frange mutine qui tombait sur ses yeux bleus de husky.

Il sentit alors sa gorge se serrer et il fut envahi par l'émotion.

Bon sang, ce n'est pas le moment de flancher !

— Je dois te dire quelque chose, chérie...

Imperceptiblement, le sourire d'Angie se voila, comme si elle pressentait déjà une mauvaise nouvelle.

— Qu'est-ce qu'il y a ?

— J'ai une tumeur dans le poumon.

— Quoi ? fit-elle incrédule.

— J'ai un cancer, Angie.

Bouleversée, elle laissa passer quelques secondes puis demanda d'une voix étranglée :

— Tu vas, tu vas... t'en sortir ?

— Non, chérie, il y a des métastases partout.

— Putain...

Abasourdie, elle se prit un moment la tête dans les mains avant de la relever. Une larme coulait le long de sa joue, mais elle n'avait pas renoncé à tout espoir.

— Mais... est-ce que tu as consulté des spécialistes ? Il y a de nouvelles techniques aujourd'hui pour soigner les cancers à petites cellules. Peut-être que...

— C'est trop tard... l'interrompit-il d'un ton sans réplique.

Elle essuya ses yeux avec la manche de son pull, mais rien n'y faisait : ses larmes coulaient toutes seules sans qu'elle puisse les arrêter.

— Et tu le sais depuis quand ?

— Deux mois.

— Mais… pourquoi tu ne m'as rien dit ?

— Pour te protéger, pour ne pas te faire de peine…

Elle s'énerva :

— Donc, depuis deux mois, chaque fois qu'on se parle au téléphone, tu me laisses déballer mes petits problèmes sans juger bon de me dire que tu as un cancer !

— Tu entrais en première année d'externat, Angie, c'était une période stressante pour toi et…

— Je te déteste ! cria-t-elle en se levant de table.

Il essaya de la retenir, mais elle le repoussa et quitta le restaurant en courant.

★

La pluie tombait à torrent lorsque Elliott sortit à son tour de l'établissement. Le ciel était bouché par une chape de nuages noirs et le tonnerre grondait. Le médecin regretta de n'avoir ni parapluie ni imperméable, car sa veste de lin fut trempée en moins de deux secondes. Très vite, il comprit qu'il allait avoir du mal à retrouver Angie. La circulation était bloquée, les taxis et les bus pris d'assaut.

Sa première intention fut de rejoindre le terminus des *cable cars*, au croisement de Powell et de Market, mais il renonça très vite à cette idée : la pluie n'avait pas découragé les touristes qui se pressaient en masse à cet endroit pour voir les opérateurs faire tourner les voitures à bras d'homme. Il jugea l'attente interminable et remonta plutôt vers Union Square dans l'espoir d'attraper « en marche » l'un des funiculaires. Les deux premiers qui passèrent étaient tellement bondés qu'il ne tenta même pas sa chance. Par contre, il réussit à accrocher le troisième au moment où il abordait la partie la plus pentue de son trajet.

Il resta dans le tramway jusqu'au dernier arrêt : Fisherman's Wharf, l'ancien port de pêche de San Francisco, aujourd'hui colonisé par les restaurants à touristes et les magasins de souvenirs. Tremblant de froid, Elliott dépassa les stands de fruits de mer où des poissonniers pleins de bagout dépiautaient des crabes vivants avant de les plonger dans d'immenses marmites installées le long des trottoirs. La pluie avait redoublé d'intensité lorsqu'il arriva à hauteur de Ghirardeli Square. Il dépassa l'ancienne chocolaterie pour rejoindre Fort Mason.

Trempé jusqu'aux os, grelottant, il poursuivit son chemin à bonne allure. Le vent qui soufflait dans un bruit assourdissant se mêlait à la pluie pour lui fouetter le visage. Avec l'effort physique, les brûlures s'étaient ravivées dans ses poumons et au bas de son dos, mais elles ne l'empêcheraient pas de retrouver sa fille. Il savait où elle avait l'habitude de se rendre dans ses moments de tristesse.

Il finit par débarquer sur la plage de sable, entre Marina Green et l'ancien terrain militaire du Crissy Field. La mer était démontée et les vagues énormes projetaient leur écume sur plusieurs dizaines de mètres. Elliott plissa les yeux : le Golden Gate avait presque disparu, dévoré par la brume et les nuages bas. La plage était déserte, tout entière recouverte d'un épais rideau de pluie. Il s'avança plus avant, en criant à tue-tête :

— Angie ! Angie !

D'abord, seul le vent lui répondit. Ses yeux s'embuèrent et il se sentit faible et vulnérable, presque à bout de forces.

Puis il la devina, sans trop savoir où elle était, jusqu'à ce qu'il entende :

— Papa !

Angie courait vers lui, transperçant les barrières élevées par l'averse.

— Ne meurs pas ! le supplia-t-elle. Ne meurs pas !

Il la serra tout contre lui et ils restèrent longtemps dans les bras l'un de l'autre, trempés, exténués, brisés par le chagrin et l'émotion.

Tandis qu'il consolait sa fille, Elliott se jura de

combattre la mort de toutes ses forces pour la faire reculer jusqu'aux dernières limites.

Puis, quand le moment fatidique arriverait, il s'en irait, l'esprit en paix, car il savait que quelque chose de lui subsisterait par-delà le néant.

Et il comprit que c'était peut-être aussi pour cela que les hommes faisaient des enfants.

9

*Des amis et des livres, ayez-en peu,
mais bons.*

Sagesse populaire

1976
Elliott a *30* ans

Elliott venait de terminer sa nuit de garde lorsqu'il quitta l'hôpital dans le froid du petit matin. Plongé dans ses pensées et tourmenté par les soucis, il ne remarqua pas tout de suite l'attroupement qui s'était formé sur le parking. Là, au milieu des ambulances et d'un camion de pompiers, Matt se donnait en spectacle devant un petit groupe d'infirmières. Elliott le regarda, mi-amusé, mi-agacé : avec son costume en velours de couleur crème et sa chemise échancrée à col pelle à tarte, Matt avait une drôle d'allure. Travolta d'avant l'heure, il se trémoussait sur les rythmes disco diffusés par son autoradio. Il faisait encore nuit, mais la lumière des phares de sa Corvette fournissait l'éclairage de son spectacle improvisé.

— *You Should Be Dancing !* lança-t-il d'une voix de fausset, à la manière d'un BeeGees.

Un sourire éclatant sur ses dents de la chance lui donnait un air enfantin et attachant et d'une certaine façon, Elliott ne put s'empêcher d'être admiratif devant son côté fonceur et sans complexe.

— Qu'est-ce que tu fais ici ? demanda-t-il en s'approchant de la voiture.

— *You Should Be Danciiiiiing !* répéta le Français en prenant son ami par l'épaule.

Il essaya de l'entraîner dans ses déhanchements, mais le médecin refusa de jouer le jeu :

— Tu as bu ou quoi ? s'inquiéta-t-il en reniflant son haleine qui empestait l'alcool.

— Accorde-moi une minute pour saluer mon public et je t'explique tout.

Elliott fronça les sourcils et s'installa dans la Corvette pendant que Matt effectuait un dernier pas de danse. Conquises par la sympathie du personnage, les infirmières applaudirent sa prestation de bonne grâce avant de s'en aller reprendre leur poste.

— Mesdames, ce fut un honneur ! assura-t-il en terminant par une révérence.

Puis, grisé par son petit succès, il sauta pardessus la portière de la voiture pour retomber miraculeusement sur son siège.

— Et maintenant, attache ta ceinture ! réclamat-il en se tournant vers son compère.

— À quoi tu joues, là ? s'irrita Elliott.

Sans répondre à la question, Matt enclencha la marche arrière et exécuta un demi-tour sur le bitume.

— Je suis passé chez toi et j'ai fait tes bagages, expliqua-t-il en désignant une valise coincée derrière les sièges. À propos, ta bouteille de whisky est vide…

— Comment ça, *mes bagages* ?

— Oui, ton avion décolle à 9 heures.

— Mais quel avion ?

Matt fit crisser les pneus et sortit du parking en trombe. Quelques coups de volant et il débarqua sur Van Ness où une nouvelle pression sur le champignon libéra les 300 chevaux du V8 et permit à la voiture de dépasser les 100 km/h.

— Euh… Tu as déjà entendu parler des limitations de vitesse ? s'inquiéta Elliott en se cramponnant à son siège.

— Désolé, mais nous ne sommes pas vraiment en avance…

— Je peux au moins savoir où on va ?

— *Moi*, je ne vais nulle part, répondit Matt tranquillement. *Toi*, tu vas voir Ilena en Floride.

— Hein ?

— Tu te rabiboches avec elle, tu la demandes en mariage et vous faites deux ou trois beaux enfants…

— Tu es fou ou quoi ?

— En ce moment, je crois plutôt que c'est toi qui as perdu un boulon, Elliott. Reconnais-le, cette prétendue histoire de *voyageur du temps* t'a perturbé.

— Elle m'a perturbé parce qu'elle m'est *vraiment* arrivée !

Matt refusa de rouvrir ce débat et se voulut rassurant :

— Parle à Ilena, remets de l'ordre dans ton couple et tu verras que tout finira par s'arranger.

— Mais je ne peux pas m'absenter comme ça ! J'ai plusieurs opérations programmées cette semaine et…

Matt l'arrêta tout de suite :

— Tu es chirurgien, tu n'es pas Dieu ! L'hôpital trouvera quelqu'un pour te remplacer.

Elliott fut soudain très tenté par la perspective de retrouver la femme qu'il aimait. Il en ressentait le besoin et la nécessité, mais il n'était pas encore prêt à laisser les inclinations de son cœur l'emporter sur sa conscience professionnelle. D'autant plus qu'il traversait une mauvaise période : son chef de service, le redoutable et redouté Dr Amendoza, jugeait durement son travail et prenait plaisir à le rabaisser à longueur de journée.

— Écoute Matt, je te remercie pour ton aide, mais je ne crois pas que ce soit une bonne idée. Je ne travaille dans cet hôpital que depuis quelques mois et je dois y faire mes preuves. Surtout, j'ai un chef de service qui me prend pour un branquignol. Alors, si je manque plusieurs jours, il me le fera payer et je ne serai jamais titularisé.

Matt haussa les épaules.

— Je lui ai parlé à ton Amendoza : il est d'accord pour te laisser le champ libre jusqu'à lundi prochain.

— Tu te fous de moi ? Tu as parlé au Dr Amendoza !

— Bien sûr.

— Bien sûr « tu te fous de moi » ou bien sûr « tu as parlé à Amendoza » ?

Matt secoua la tête :

— Ton fameux docteur, il a bien vu que tu n'étais pas dans ton assiette ces derniers jours. Et pour ton information, il t'apprécie beaucoup.

— Tu rigoles…

— Ce sont les infirmières qui me l'ont dit. À l'hôpital, Amendoza raconte à tout le monde que tu es un excellent chirurgien.

— À tout le monde, sauf à moi... constata Elliott.

— Oui, et c'est pour ça que je suis là : pour te remettre les idées en place lorsque tu en as besoin.

À l'horizon, les nuages s'étiolaient doucement, laissant percer une lumière rose, promesse d'une belle journée. Matt fouilla dans la poche intérieure de sa veste et en sortit un billet d'avion.

— Fais-moi confiance, je sais ce qui est bon pour toi.

Elliott sentit ses défenses céder, mais il tenta une dernière fois de résister.

— Et Rastaquouère ?

— T'en fais pas pour ton clebs. J'irai le nourrir tous les jours.

À bout d'arguments, le médecin accepta finalement le billet avec reconnaissance, tout en réalisant pleinement la chance d'avoir un ami pareil. Pendant un bref moment, il se rappela les circonstances étranges de leur rencontre, dix ans plus tôt, au cours d'un épisode tragique qu'ils n'évoquaient jamais. Ce matin, il aurait voulu dire quelque chose à Matt pour lui témoigner sa gratitude mais, comme souvent, il ne trouva pas les mots et ce fut le jeune Français qui rompit le silence.

— Si je ne t'avais pas rencontré, tu sais où je serais actuellement ?

Comme Elliott haussait les épaules et ne répondait rien, Matt annonça simplement :

— Je serais mort.

— Arrête tes bêtises, tu veux bien ?

— Pourtant, c'est la vérité et tu le sais.

Elliott regarda son complice à la dérobée. Les habits froissés de Matt et ses yeux rougis par le manque de sommeil trahissaient une nuit blanche. Et ce n'était pas le seul signe qui inquiétait le jeune médecin : la conduite dangereuse de son ami, son ébriété, ses allusions répétées à la mort et aux fantômes du passé...

À présent, l'évidence lui sautait au visage : Matt traversait lui aussi une période de déprime ! Cette bonne humeur qu'il affichait en toutes circonstances cachait sa part d'ombre et de souffrance et son naturel jovial cédait quelquefois la place aux idées noires et au découragement.

— Tu veux que je te dise un truc, confessa le jeune Français : chaque matin, en me levant, je regarde le ciel et la mer et je me dis que si je suis encore là pour en profiter c'est à toi que je le dois.

— Tu es saoul, Matt !

— Ouais, je suis saoul, reconnut-il. Toi tu sauves des vies et moi je me saoule. Parce que je ne suis pas capable de grand-chose à part draguer les filles et faire mon intéressant...

Il laissa passer quelques secondes avant d'ajouter :

— Mais tu sais quoi ? C'est peut-être ça, ma mission sur terre : prendre soin de toi et t'aider comme je le peux.

Il avait parlé avec gravité. Pour tenter de masquer son émotion et ne pas laisser s'installer un silence trop pesant, Elliott ramena la conversation sur un sujet plus futile :

— Pas mal ton matos ! siffla-t-il en examinant l'autoradio cassette dernier cri récemment installé.

— Ouais, l'ampli fait 2×5 watts, précisa Matt, pas mécontent lui non plus de parler d'autre chose.

— T'as acheté le dernier Bob Dylan ?

Matt ricana :

— Dylan, c'est fini, mon vieux ! L'avenir c'est *ça*, annonça-t-il en fouillant dans la boîte à gants pour en extirper une cassette avec une superbe pochette en noir et blanc.

— Bruce Springsteen ? déchiffra Elliott, jamais entendu parler.

Matt lui raconta alors tout ce qu'il savait de ce jeune rockeur atypique qui rencontrait un succès croissant en chantant la vie des classes prolétaires du New Jersey.

— Tu vas voir, mec, prévint-il en insérant la cassette dans le lecteur, ce truc-là c'est de la dynamite.

Les accords de *Born to run* résonnèrent tandis que le soleil allumait ses premiers rayons. Jusqu'à la fin du trajet, les deux amis se laissèrent porter par la musique, perdus chacun dans ses pensées, ailleurs, mais ensemble…

Enfin, l'aéroport se profila à l'horizon. À bonne allure, Matt s'engagea sur la bretelle qui menait aux terminaux et, en adepte de la conduite sportive, s'offrit un petit dérapage devant le hall des départs.

— Allez, dépêche-toi.

Elliott attrapa sa valise et se dirigea en courant vers les portes de verre. Il avait parcouru une dizaine de mètres lorsqu'il se retourna vers Matt et lui cria :

— Si mon avion s'écrase et que j'arrive le premier au ciel, je te garde une place ?

— C'est ça, approuva Matt, une place au chaud, à côté de Marilyn Monroe… et pas trop loin de toi.

10

« *L'amour n'est pas le ciment le plus fort entre deux êtres, c'est le sexe.* »

Tarun J. Tejpal, *Loin de Chandigarh*,
p. 11.

« *Le sexe n'est pas le ciment le plus fort entre deux êtres, c'est l'amour.* »

Tarun J. Tejpal, *Loin de Chandigarh*,
p. 670.

1976
Elliott a *30* ans

« *Mesdames, Messieurs, notre avion va bientôt commencer sa descente sur Orlando. Veuillez regagner votre place, relever le dossier de votre fauteuil et vous assurer que votre ceinture est attachée.* »
Elliott délaissa son hublot pour se tourner vers

la travée centrale. L'avion était à moitié vide. Matt avait beau jouer les sceptiques, le jeune médecin ne doutait plus de ce qu'il venait de vivre et, durant tout le voyage, il n'avait cessé de dévisager les passagers, se demandant si parmi eux ne se trouverait pas « son double » de soixante ans. Depuis que les empreintes digitales avaient confirmé l'identité de son étrange visiteur, il attendait sa prochaine visite avec un mélange d'angoisse et d'impatience.

L'avion se posa en douceur. Sans perdre de temps, Elliott récupéra sa valise, loua une voiture et prit la direction de l'*Ocean World*. Après une nuit de garde et un voyage de six heures pendant lesquels il avait été incapable de dormir, tous ses membres étaient engourdis et il était assommé de fatigue. Il baissa la vitre de la Ford Mustang pour prendre un peu d'air marin. Ici, le climat était beaucoup plus doux qu'à San Francisco. L'automne n'avait pas encore atteint la Floride qui jouait les prolongations de la saison estivale. Il rejoignit l'*International Drive* bordée de belles pelouses et d'hôtels flambant neufs. Une ambiance de fête permanente régnait sur la ville. Tout cela pouvait sembler factice, mais il décida de se laisser prendre au jeu.

Une fois garé sur l'immense parking de l'*Ocean*

World, il hésita à téléphoner d'une cabine pour prévenir Ilena de son arrivée. Finalement, il préféra lui faire la surprise et paya son billet d'entrée comme n'importe quel touriste.

À lui tout seul, le parc aquatique était une petite ville qui s'étendait sur soixante hectares et mobilisait plusieurs centaines d'employés. En connaisseur des lieux, Elliott se doutait de l'endroit où il trouverait Ilena. Pour s'y rendre, il traversa le jardin vallonné, peuplé de flamants roses, qui entourait l'aquarium tropical, puis déboucha sur la petite plage artificielle qui servait de point de ralliement aux tortues géantes. De là, il longea un enclos où une poignée d'alligators paresseux flottaient entre deux eaux, pour arriver enfin au bassin des orques.

L'endroit était impressionnant : les six orques de l'*Ocean World* vivaient dans un bassin de douze mètres de profondeur contenant quarante-cinq millions de litres d'eau de mer. On était entre deux spectacles et les gradins étaient presque vides. Sans se faire remarquer, Elliott prit place sur l'un des strapontins pour observer les soigneurs qui s'activaient autour des épaulards. Il ne fut pas long à repérer Ilena. C'était la seule femme du groupe. Sanglée dans une combinaison de plongée, elle s'improvisait dentiste en arrangeant avec une fraise l'une des dents d'un cétacé qui la dévisageait toute mâchoire ouverte. Elliott frissonna et pensa à ces dompteurs de cirque qui mettent leur tête dans la gueule du lion tout en sachant qu'Ilena n'aurait pas aimé cette comparaison...

Longiligne et aquatique, elle était belle comme une sirène. Brillante comme un diamant égaré au milieu des verroteries. Parfois, lorsqu'ils allaient ensemble au restaurant ou dans un magasin, il la laissait entrer la première et pendant une seconde, les gens se demandaient quel genre de type pouvait bien accompagner une fille aussi fabuleuse. Lorsque les regards se tournaient enfin vers lui, il croyait toujours y lire une petite déception.

Autour du bassin, deux soigneurs tournaient autour d'Ilena, comme aimantés par sa beauté électrique. Bonne camarade, elle riait à leurs plaisanteries tout en les tenant à distance.

Était-il à la hauteur d'une femme comme ça ? Avait-il réussi à la rendre heureuse ?

Pendant longtemps, il avait éludé ces questions, se contentant de vivre le moment présent mais, aujourd'hui, il acceptait de se les poser.

Ils s'aimaient toujours, certes, mais la vie et le travail les avaient un peu séparés. À cause de l'éloignement et de leur carrière respective, ils vivaient désormais leur relation en pointillé.

Souvent, il se demandait où en serait sa vie, s'il

ne l'avait pas rencontrée dix ans plus tôt. Incontestablement, elle l'avait rendu meilleur : elle n'était pas étrangère à sa vocation de médecin, elle lui avait donné de l'assurance et ouvert les yeux sur les réalités du monde. Mais lui ? Qu'avait-il fait pour elle ? Que lui avait-il apporté ? Peut-être allait-elle se réveiller un matin et réaliser qu'elle avait perdu son temps en restant avec lui.

Alors, il devrait se résoudre à la perdre.

Te perdre... lui murmura-t-il de loin, comme si elle pouvait l'entendre.

En tout cas, il était certain d'une chose : il ferait tout pour que ce jour n'arrive jamais. Quant à savoir ce qu'il pourrait lui apporter... Accepterait-il de quitter son travail à l'hôpital et sa vie à San Francisco pour venir vivre avec elle à Orlando ? Il ne pouvait se résoudre à répondre à cette question et pourtant il se sentait capable de donner sa vie pour elle, ce qui après tout n'était pas si mal.

Revigoré par cette évidence, il se leva des gradins, jugeant qu'il était temps d'interrompre la parade amoureuse des deux bellâtres qui tournaient autour d'Ilena.

— Hé, petit ! appela-t-il en apostrophant un jeune adolescent qui vendait des ballons gonflés à l'hélium.

— Ouais M'sieur.

— Combien pour tes ballons ?

— Un dollar les deux.

Elliott lui donna vingt dollars, ce qui lui suffit amplement pour acheter tout le stock. Masqué par son nouvel étendard, il se rapprocha du bassin sans faire de bruit.

— Cette zone est interdite au public ! l'interrompit l'un des soigneurs.

Elliott connaissait certains des employés, mais il n'avait jamais rencontré celui-ci auparavant. Il le dévisagea et aperçut de l'agressivité dans son regard.

Le genre à jouer à celui qui pisse le plus loin, pensa-t-il en continuant sa route malgré l'avertissement.

En tout cas, ce con ne va pas me gâcher ma surprise.

Mais l'autre ne l'entendait pas ainsi.

— Vous êtes sourd ou quoi ! cria-t-il en le bousculant.

Elliott faillit trébucher et fut contraint de lâcher le bouquet de ballons pour garder son équilibre.

— Espèce de taré ! lança-t-il, dépité, à son agresseur.

Le jeune soigneur se campa devant lui de pied ferme, les poings serrés.

— Mais qu'est-ce qui se passe ici ? demanda Ilena en avançant vers eux.

— C'est ce mec qui se croit chez lui ! expliqua l'employé en désignant Elliott.

Alors que les ballons d'hélium s'envolaient dans le ciel, Ilena découvrit avec stupéfaction le visage de l'homme qu'elle aimait et resta un moment interdite.

— C'est bon Jimmy, je m'en occupe, dit-elle en reprenant ses esprits.

Le soigneur se détourna d'Elliott avec regret.

— P'tite merde ! murmura-t-il à son intention.

— Gros con ! lui répondit Elliott sur le même ton.

Pendant que l'employé regagnait ses quartiers en renâclant, Elliott et Ilena se regardèrent en silence, face à face, à deux mètres l'un de l'autre.

— J'étais dans la région, alors…

— C'est ça, avoue plutôt que tu ne peux pas te passer de moi.

— Et toi, tu peux ?

— Moi, je suis entourée d'hommes ici… Tu devrais t'inquiéter…

— Je m'inquiète, c'est pour ça que je suis là.

Elle le regarda d'un air de défi.

— Au fait, pas mal ton petit numéro…

— Désolé pour ma passe d'armes avec ce « Jimmy ».

— Ne sois pas désolé : j'aime bien que tu te battes pour moi...

Il pointa le doigt en l'air.

— Je t'avais acheté ça.

Elle leva les yeux vers le ciel : poussés par le vent, les ballons filaient vers une destination inconnue.

— Si c'était ton amour, il s'est envolé.

Il secoua la tête.

— L'amour ne s'envole pas comme ça.

— Faut se méfier quand même, il n'est jamais acquis.

Alors que le soleil déclinait derrière les palmiers, Elliott s'approcha d'Ilena.

— Je t'aime, dit-il simplement.

Elle se jeta dans ses bras et il la fit tournoyer comme quand ils avaient vingt ans.

★

— J'ai pensé à quelque chose... dit-il en la reposant à terre.

— Quoi ? demanda-t-elle, encore accrochée à ses lèvres.

— Et si on faisait un enfant ?

— Là, tout de suite ? répondit-elle en se souve-

nant de la réponse d'Elliott quelques jours plus tôt
à l'aéroport. Devant les orques et les dauphins ?

— Et pourquoi pas ?

*

Ilena gara la Thunderbird au bout d'une allée de
graviers qui donnait sur une charmante maison en
briques roses entourée de pilastres blancs et couron-
née d'une terrasse couverte. Depuis quelques mois,
elle en louait le premier étage à miss Abott, une
vieille femme acariâtre, héritière d'une riche famille
bostonienne, mais qui passait le plus clair de son
temps en Floride, le climat ensoleillé semblant
mieux convenir à ses rhumatismes. miss Abott,
qui n'était pas vraiment une progressiste, tenait à
ce que sa demeure soit habitée par des « membres
de la bonne société ». Plusieurs fois, elle avait mis
en garde Ilena sur l'interdiction absolue de ramener
« des hommes » dans sa maison qui « n'était pas
un hôtel de passe ».

Ilena mit son index sur sa bouche pour indiquer
à Elliott de ne pas faire de bruit. La maison avait
l'air endormie et miss Abbot était un peu dure
d'oreille, mais il fallait être prudent. Ils sortirent de
la voiture sans claquer les portières et, l'un derrière
l'autre, montèrent les marches du petit escalier de

secours qui permettait d'atteindre l'étage en évitant l'entrée principale.

Elliott marchait devant en maugréant, pas franchement ravi d'endosser le rôle de l'adolescent enfreignant l'heure du couvre-feu. Derrière lui, Ilena prenait la chose avec amusement jusqu'au moment où…

— Ilena, c'est vous ?

La porte d'entrée venait de s'ouvrir et miss Abbot débarquait déjà sur son perron.

— Bonjour miss Abbot, bel après-midi, n'est-ce pas ? lança la jeune femme d'un air dégagé.

— Que faites-vous là, Ilena ? demanda sa logeuse en fronçant les sourcils.

Suspicieuse, elle se décala pour inspecter la volée de marches dans son intégralité, mais Elliott avait déjà eu le temps de se glisser dans l'appartement.

— Je… je pensais que vous dormiez et je ne voulais pas vous déranger, expliqua Ilena.

La vieille dame haussa les épaules avant de se radoucir :

— Vous prendrez bien une tasse de thé avec moi ?

— Euh… eh bien…

— J'ai préparé des madeleines dont vous me direz des nouvelles. Elles viennent juste de sortir du four.

— C'est-à-dire que...

— C'est une recette à l'ancienne que je tiens de ma propre grand-mère. Je vous l'écrirai sur un bristol si ça vous intéresse.

— Je ne voudrais surtout pas vous priver.

— Mais non, ma petite, dit-elle en l'entraînant dans le salon. C'est à moi que ça fait plaisir.

Et au ton de cette dernière réplique, Ilena devina que miss Abott n'était peut-être pas dupe de son manège.

★

Seul dans le petit appartement, Elliott commençait à ronger son frein. À pas de loup, il se glissa hors de la chambre et tenta un regard à l'étage inférieur. Dépité, il constata qu'Ilena s'était fait alpaguer par la propriétaire des lieux. Assise sur un rocking-chair, une tasse de thé à la main, elle écoutait d'une oreille distraite la vieille Abott qui égrenait la liste des ingrédients nécessaires à la fabrication de ses fameuses madeleines.

Comprenant qu'elle était coincée en bas pour un bon moment, Elliott revint dans la chambre et prit son mal en patience en furetant dans la grande pièce qui sentait bon l'encens et la cannelle. L'endroit était convivial avec des bougies partout, des coussins multicolores et quelques bibelots hindous. Posée dans un coin, une guitare sèche tenait compagnie à un tambourin et à un cahier de partitions de chansons de Joan Baez et de Leonard Cohen. Au mur du fond était accrochée une affiche d'un film français – *Jules et Jim* – que Matt lui avait rapportée lors de son dernier voyage à Paris. Sur la table de chevet, au milieu des ouvrages de psychologie animale, il repéra le dernier Agatha Christie ainsi qu'un roman à la couverture accrocheuse d'un auteur qu'il ne connaissait pas : *Carrie* par Stephen King. Il en lut distraitement le résumé.

Bof, pensa-t-il en reposant l'ouvrage, *encore un auteur que tout le monde aura oublié dans cinq ans...*

Continuant son inventaire, Elliott repéra un drôle d'appareil : une sorte de circuit imprimé, glissé dans un boîtier en bois de koa et relié au poste de télévision. Ilena l'avait acheté l'été dernier au Byte Shop de San Francisco pour la somme rondelette de six cents dollars. La jeune femme avait l'esprit scientifique et se passionnait pour ces nouvelles machines qu'on commençait à appeler des micro-ordinateurs. Elliott, lui, n'y connaissait pas grand-chose. Dans un jour pas si lointain, lui avait-elle assuré, on trouverait un ordinateur dans la plupart des foyers comme un réfrigérateur ou un lave-linge. En repensant à ça, il ne put s'empêcher de hausser les épaules.

Malgré tout, poussé par la curiosité, il parcourut quelques pages de la documentation posée sur le bureau. Cette machine avait beau avoir la réputation d'être assez simple grâce à son clavier et à son magnétophone à cassettes, Elliott n'y comprit strictement rien. Concrètement, il aurait même été incapable de dire à quoi un truc pareil servait réellement. La seule chose qu'il retint, c'est le nom bizarre que ses créateurs avaient choisi pour leur société : Apple Computer.

Ça ne risque pas de marcher avec un nom pareil, les gars ! pensa-t-il sans même oser allumer l'appareil.

À la place, il se jeta sur le lit et attrapa le bouquin de ce Stephen King qu'il commença à feuilleter en attendant Ilena. Au bout d'une demi-heure, il en avait presque dévoré cent pages.

En définitive, c'est pas si mal… admit-il presque à contrecœur alors que quelqu'un poussait la porte de la chambre.

À travers la fenêtre, les arbres s'habillaient des tons de l'automne, baignant la pièce d'une belle lumière.

Souriante et mutine, Ilena le regardait avec un

air amusé. Elle portait un jean délavé, évasé au bas des jambes, une chemise en coton clair, des sandales en cuir et un bracelet de turquoises autour du poignet.

— J'espère qu'au moins tu m'as rapporté des madeleines, dit-il en plaisantant. Je commençais à avoir faim.

— Et toi, j'espère que tu t'es bien reposé, répondit-elle du tac au tac, tout en dégrafant deux boutons de son chemisier.

— Et pourquoi ça ?

— Parce que tu vas avoir besoin de tes forces.

★

Elle pousse la porte avec son pied et s'avance vers la fenêtre pour tirer les rideaux, il la rattrape, tente de l'entraîner sur le lit. D'abord, elle le repousse, mais pour mieux l'attirer à elle avant de le plaquer contre le mur.

Il encadre son visage de ses mains. Les cheveux d'Ilena sont encore mouillés et sentent l'eau de mer. Elle lui desserre sa ceinture et fait glisser son jean le long de ses cuisses. Il lui ôte sa chemise, sans égard pour les boutons. Elle goûte la douceur de sa langue alors que leurs lèvres s'entrouvrent. Elle attache ses bras autour de son cou et il la soulève tandis qu'elle passe ses jambes autour de lui.

Après une bataille avec son soutien-gorge, il laisse ses doigts courir sur ses seins, descend jusqu'à son ventre nu, puis plus bas encore. Un gémissement. Toi et moi. Son prénom chuchoté à son oreille. Des mains froides qui caressent ses côtes et remontent le long de ses vertèbres.

Ils s'appuient contre le dossier d'un fauteuil, le renversent, s'agenouillent sur le tapis, puis tombent tous les deux contre le mur. Elle se dresse au-dessus de lui, mais il la ramène contre son torse. Elle retient son souffle, se contracte et se laisse envahir par un frisson glacial puis par une onde brûlante. Son ventre frémit et tout son corps se relâche.

Dehors, le vent s'est levé. Une bourrasque fait trembler la vitre et l'un des battants s'ouvre violemment, heurtant un vase en terre qui se brise sur le sol. Dans le lointain, un chien aboie et quelqu'un crie quelque chose.

Mais ils se foutent pas mal du dehors, des gens et des chiens.

Plus rien n'a d'importance, que cette ivresse de se perdre dans l'autre, ce vertige de glisser dans un gouffre et cette crainte de rompre le lien.

Maintenant, elle s'accroche à tout ce qu'elle

peut : ses cheveux, l'odeur de sa peau, le goût de ses lèvres. Son cœur bat si vite que c'en est presque douloureux, mais elle ne veut pas que ce moment s'arrête.

Puis il y a comme un vide, un creux dans l'estomac et quelque chose se rompt en elle.

Alors, elle a le sentiment d'être hors du temps, de ne plus toucher terre, d'être éternelle.

Avec cette sensation d'être projetée très loin.

Autre part.

Ailleurs...

★

Ils restèrent allongés en silence dans l'obscurité de la chambre, blottis l'un contre l'autre, leurs jambes emmêlées, leurs doigts enlacés. À présent, la nuit était tombée et la température s'était rafraîchie, mais dans leur bulle, tout n'était que chaleur et protection.

Le sommeil commençait même à les gagner lorsque le téléphone sonna brusquement. D'un bond, Ilena sortit de sa torpeur, s'entoura d'un drap et décrocha l'appareil mural.

Un silence puis :

— D'accord, j'arrive tout de suite.

Elle raccrocha puis se tourna vers Elliott.

— Désolée, baby…

— Ne me dis pas que tu dois partir.

— J'ai une urgence.

— C'était qui ? Un dauphin ? Une orque qui a besoin que tu lui chantes une berceuse pour s'endormir ?

— Il nous manque un soigneur pour le spectacle et il n'y a que moi pour le remplacer.

Elle le rejoignit sur le lit et il lui massa les épaules.

— Mais quel spectacle ? Il est 7 heures du soir.

— Jusqu'à la fin de la saison, on fait aussi un nocturne.

— On est presque en octobre. La saison est finie !

— Ne crois pas ça, Darling, c'est la Floride ici et il fait encore bon.

Elle lui donna un dernier baiser avant de se lever.

— Tu peux rester là, si tu veux. Ne t'inquiète pas pour miss Abott : elle se couche tôt et si tu veux mon avis, elle sait très bien que tu es ici…

— Je préfère t'accompagner, répondit-il sans hésiter.

— T'as peur que je me fasse draguer ?

— Non, j'ai juste repéré une jolie vendeuse à la boutique de souvenirs. Je vais aller lui tenir compagnie pendant que tu feras ton spectacle.

— Tu fais ça, je te tue, prévint-elle en lui lançant un oreiller.

En un clin d'œil, elle ramassa ses vêtements et se recoiffa à la va-vite.

— Tout de suite, les solutions radicales… constata Elliott en remettant sa chemise.

— C'est comme ça. Et ne t'imagine pas que tout est acquis en amour ! S'il faut, c'était peut-être la dernière fois qu'on couchait ensemble…

— En tout cas, c'était bien.

— Et ça, c'était nul.

— Quoi ?

— Ce que tu viens de dire !

— J'ai pas le droit de dire que c'était bien ?

— Non.

— Pourquoi ?

— Parce que ça casse la magie !

Vraiment, les femmes…

— Tous ces moments qu'on passe ensemble, ajouta-t-il en enfilant sa veste, je les garde dans mon esprit, comme des petits films.

— Ça par contre, c'est gentil, dit-elle en fermant la porte derrière elle.

Jouant le jeu de la vieille Abott, Elliott rejoignit la voiture par l'escalier de secours. Alors qu'Ilena ne l'entendait plus, il se murmura, comme à lui-même, sur le ton de la plaisanterie :

— Des petits films que je me repasserais souvent dans la tête, si un jour j'étais en maison de retraite, vieux et impuissant. Juste pour me rappeler combien on était heureux, tous les deux.

Et sur ce dernier point, il ne se doutait pas combien il avait raison...

11

Troisième rencontre

« Hier encore, j'avais vingt ans, je caressais le temps... »

Charles AZNAVOUR

« Yesterday, love was such an easy game to play »

John LENNON – Paul McCARTNEY

1976
Elliott a *30* ans

La salle panoramique de l'*Aquatic Café* permettait aux visiteurs du parc de siroter un verre tout en ayant une vue imprenable sur le bassin aux orques qui s'étendait quelques mètres plus bas. Dans moins d'un quart d'heure, les baleines tueuses et leurs soigneurs commenceraient leur show, mélange de chorégraphie et de prouesses spectaculaires.

Assis à une table, Elliott regardait les gradins clairsemés se remplir peu à peu pour le dernier spectacle de la journée. Un serveur lui apporta la bouteille de Budweiser qu'il avait commandée. Il le remercia d'un petit signe de la main.

Le bar était baigné d'une douce pénombre. Près du comptoir, un duo formé par un guitariste et une chanteuse égrenait en version acoustique les tubes folk de Carole King, Neil Young, Simon and Garfunkel…

Bercé par les accords de guitare et encore tout au souvenir de son étreinte avec Ilena, Elliott ne remarqua pas l'homme qui venait de s'asseoir à la table d'à côté.

Il prit une gorgée de bière puis alluma machinalement une cigarette.

— Alors, c'est toi qui m'as piqué mon briquet !

Comme pris en faute, il se tourna brusquement vers celui qui venait de l'interpeller. Assis sur la banquette en cuir jouxtant la sienne, l'homme – qu'il savait désormais être lui en plus vieux – le regardait avec une lueur amusée dans les yeux.

Elliott n'était pas surpris par cette nouvelle apparition à laquelle il s'était préparé et qui le confortait dans l'idée qu'il n'avait pas rêvé ce qui s'était passé.

— Je sais tout… dit-il d'une voix tremblante.

— Et qu'est-ce que tu sais ? demanda l'autre.

— Je sais que vous m'avez dit la vérité. Je sais que vous êtes… moi.

L'homme se leva de la banquette, enleva sa veste et vint s'asseoir en face de lui.

— Pas mal, l'idée du tatouage, concéda-t-il en remontant la manche de sa chemise jusqu'à l'endroit où s'étalaient les lettres.

— Je savais que vous apprécieriez.

Le serveur s'avança vers leur table et constata qu'il avait un nouveau client.

— Qu'est-ce que je vous sers, Monsieur ? demanda-t-il au plus vieux des deux hommes.

— La même chose, répondit son interlocuteur en désignant la bouteille de bière. Mon ami et moi avons souvent les mêmes goûts.

Les deux hommes ne purent réprimer un sourire et pour la première fois, dans la lumière tamisée de ce café, une étrange complicité sembla les rapprocher. Une bonne minute s'écoula sans que personne parlât. Chacun goûtait à sa façon la drôle d'intimité qui s'était installée entre eux. Sensation bizarre comme celle de retrouver un membre de sa famille perdu de vue depuis des années.

Enfin, Elliott ne put s'empêcher de s'exclamer :

— Putain, comment vous faites ça ?

— Le coup du voyage dans le temps ? Si ça peut te rassurer, ça m'étonne autant que toi.

— C'est dingue !

— Oui, approuva le vieux médecin, c'est dingue...

Elliott tira une bouffée de la cigarette qu'il avait allumée. Dans sa tête, tout se bousculait.

— Et comment c'est, là-bas ?

— Tu veux dire en 2006 ?

— Oui...

— Qu'est-ce que tu veux savoir ?

Des questions, il en avait des tas : dix, vingt, cent, mille... À commencer par celle-ci :

— Comment va le monde ?

— Pas mieux que maintenant.

— La guerre froide...

— C'est fini depuis longtemps.

— Qui a gagné : les Russes ou nous ?

— Si c'était si simple...

— Il n'y a pas eu de troisième conflit mondial ? Pas de guerre nucléaire ?

— Non, mais on a d'autres problèmes : l'environnement, la mondialisation, le terrorisme et toutes les conséquences du 11 septembre...

— Le 11 septembre ?

— Oui, il s'est passé quelque chose, le 11 septembre 2001, au *World Trade Center*, à New York.

— Quoi ?

— Écoute, je ne sais pas si c'est une bonne chose que je te raconte tout ça...

Trop avide d'avoir d'autres informations, Elliott ne laissa pas le silence s'installer :

— Et moi, comment je vais ?

— Tu fais ce que tu peux.

— Est-ce que je suis devenu un bon médecin ?

— Tu es *déjà* un bon médecin, Elliott.

— Non, ce que je veux dire c'est... : est-ce que je suis plus solide ? Est-ce que je me suis habitué à la mort de certains patients ? Est-ce que j'ai su prendre de la distance ?

— Non, on ne s'habitue pas à la mort des patients. Et c'est justement parce que tu as accepté de ne pas « mettre trop de distance » que tu es resté un bon médecin.

Pendant quelques secondes, Elliott fut déstabilisé jusqu'à être envahi par la chair de poule. Jamais il n'avait envisagé les choses sous cet angle.

Puis il sentit confusément que le temps était compté et qu'il n'aurait pas la possibilité de poser toutes les questions qui le taraudaient. Alors, il se recentra sur l'essentiel :

— J'ai des enfants ?

— Une fille.

— Ah... fit-il sans savoir s'il pouvait s'en réjouir. Je suis un bon père ?

— Je crois.

— Et Ilena ? Elle va bien ?

— Tu poses trop de questions.

— Facile à dire pour vous : vous avez toutes les réponses.

— Si seulement c'était le cas…

Il prit une gorgée de bière et, à son tour, sortit une Marlboro de sa poche.

— Je vous rends votre briquet ? proposa Elliott en approchant la flamme du Zippo de la cigarette du vieux médecin.

— Tu peux le garder. De toute façon, il sera à toi un jour ou l'autre…

Dans le fond de la salle, les deux musiciens avaient attaqué le *Yesterday* des Beatles. L'occasion pour Elliott de se renseigner sur quelque chose de plus léger :

— On écoute quelle musique dans le futur ?

— Rien de mieux que ça, assura son interlocuteur en battant la mesure avec son pied.

— Est-ce qu'ils se sont remis ensemble ?

— Les Beatles ? Non, jamais, et ça ne risque plus d'arriver : Lennon a été assassiné et Harrison est mort il y a deux ou trois ans.

— Et McCartney ?

— Lui, il est toujours vaillant.

Tout à coup, le silence se fit dans la pièce

marquant le début du spectacle aquatique. D'un même mouvement, les deux hommes se tournèrent vers l'immense fosse aux orques tandis que les soigneurs faisaient leur entrée sous les applaudissements d'un public maintenant plus nombreux.

— C'est elle, n'est-ce pas ? C'est Ilena ? demanda le vieil homme en plissant les yeux.

— Oui, elle remplace l'un des soigneurs.

— Écoute, je ne peux pas rester très longtemps et dans quelques minutes, je vais sûrement « disparaître » à nouveau. Alors, ne le prends pas mal, mais pendant le temps qui me reste, je voudrais juste la voir *elle*.

Sans vraiment comprendre de quoi il retournait, Elliott regarda son double se lever et quitter le café pour rejoindre le haut des gradins.

*

Elliott a *60* ans

Elliott descendit le long de la travée centrale pour rejoindre les premiers rangs. Le bassin était le plus grand jamais construit au monde et se divisait en trois sections, la piscine principale se prolongeant par deux bassins plus petits : un consacré aux soins et un autre réservé à l'apprentissage. La haute baie vitrée qui s'étendait sur plus de soixante mètres de long permettait de voir les six orques évoluer sous l'eau lors de la représentation.

En lui-même, le spectacle était impressionnant. Avec une grâce étonnante, les cétacés bougeaient leur masse de plusieurs tonnes, multipliant les sauts, les échouages et les éclaboussures. Mais Elliott, lui, n'avait d'yeux que pour Ilena qui orchestrait les figures sous l'eau, guidant les mastodontes le long des baies vitrées.

Après toutes ces années, le choc de la revoir était violent. Il la trouva incroyablement belle, presque irréelle, comme un ange rencontré dans les rêves. Depuis trente ans, il avait regardé des milliers de fois les rares photos qu'il avait d'elle. Mais les photos ne retranscrivaient pas cette beauté saisissante qui était la sienne.

Alors, sous le coup de l'émotion, tout ressurgit en vrac : le regret de ne pas l'avoir mieux aimée, de ne pas l'avoir mieux comprise, de n'avoir pas su la protéger. Puis, toujours, cette sensation d'impuissance et la rage de devoir s'incliner devant le temps qui file et qui détruit tout...

*

Elliott a *30* ans

Encore abasourdi par la scène qu'il venait de vivre, Elliott était resté assis à sa table, scotché à son siège, pendant que son double plus âgé regardait le spectacle, assis dans les gradins.

Loin d'étancher sa curiosité, tout ce qu'il venait d'apprendre n'avait fait que l'attiser.

Comme le vieil homme avait laissé sa veste accrochée sur le dossier de sa chaise, Elliott ne put s'empêcher de fouiller dans ses poches. Bizarrement, il ne se sentit ni honteux, ni coupable : à situation exceptionnelle, mesure exceptionnelle. Son exploration lui permit de mettre la main sur un portefeuille ainsi que sur deux petits boîtiers.

Le portefeuille ne lui apprit pas grand-chose de nouveau sauf qu'il y trouva la photo d'une jolie jeune fille de vingt ans.

Ma fille ? se demanda-t-il sans parvenir à être ému.

Il chercha une ressemblance avec Ilena, mais n'en trouva aucune. Très perturbé, il remit la photo où il l'avait trouvée et se concentra sur les deux autres objets.

Le premier était un boîtier minuscule, noir et argenté, avec un petit écran et des boutons marqués de chiffres. Il lut le terme NOKIA au-dessus de l'écran, mais cela n'évoqua rien pour lui. Sans doute le nom de l'entreprise qui fabriquait cet appareil. Il le retourna dans tous les sens, incapable de comprendre à quoi cela pouvait servir jusqu'à ce que le boîtier se mette justement à sonner. Surpris, il posa l'appareil devant lui sans savoir comment l'arrêter.

À mesure que la sonnerie s'amplifiait, tout ce que le café comptait de clients se retourna dans sa direction, lui jetant des regards où la surprise se mêlait à la désapprobation. Soudain, dans un éclair de lucidité, il comprit qu'il avait devant lui un téléphone et, même si ce coup de fil ne lui était pas destiné, il appuya logiquement sur le bouton vert pour décrocher.

— Allô ? dit-il en portant à son oreille le minuscule combiné.

— Oh ! T'en mets du temps à répondre !

Cette voix qui l'engueulait et qui semblait venir de très loin, c'était celle de…

— Matt ! ! C'est toi Matt ?

— Ben, ouais.

— Mais, tu es où, là ?

— Au domaine, où tu veux que je sois ? Il faut bien que quelqu'un travaille pour faire tourner l'exploitation.

— L'exploitation ? Tu veux dire *notre* exploitation viticole ? On l'a déjà achetée ?

— Euh... Ça fait trente ans qu'on l'a achetée mon vieux. Dis donc, ça n'a pas l'air d'aller mieux, toi, hein ?

— Matt ?

— Ouais ?

— Tu as quel âge, là ?

— Ça va, je le sais que j'ai plus vingt ans. Tu vas pas me le répéter tous les jours !

— Dis-moi ton âge, pour voir.

— Le même que le tien, mon grand : soixante berges...

Elliott marqua une pause, le temps de reprendre ses esprits.

— Tu ne devineras jamais ce qui m'arrive...

— Avec toi, je m'attends à tout. Au fait, tu es où, toi ?

— En 1976 et... j'ai trente ans.

— C'est ça... Bon, je te laisse. J'ai des problèmes au boulot, moi. Pour ton information, les caisses de vin pour la France ne pourront pas partir à temps : toujours leurs foutues grèves, maugréa-t-il en raccrochant.

Elliott ne put s'empêcher de sourire, à la fois touché et éberlué par cette conversation surréaliste. Mais il n'était pas au bout de ses surprises. En s'emparant de l'autre appareil, il remarqua qu'il était entouré d'un fil en plastique. Il le déroula et aperçut deux petites capsules qui pendaient à son extrémité. Les indications *right* et *left*, le mirent sur la piste :

Un casque ?

Il enfonça les deux écouteurs dans ses oreilles avant de considérer l'appareil plus avant. Le boîtier, à peine plus épais qu'une pièce de monnaie, incorporait un écran en couleur ainsi qu'une sorte de molette au centre. Il le retourna pour y découvrir l'indication :

iPod
Designed by Apple in California – Made in China

Il fit jouer la molette tandis que sur l'écran défilaient des noms étranges dont il n'avait jamais entendu parler : U2, R.E.M., Coldplay, Radiohead…

Enfin, il trouva quelque chose qu'il connaissait : The Rolling Stones.

Il eut un sourire de satisfaction. Ici, il était en terrain connu. Confiant, il monta le volume au maximum avant d'appuyer sur le bouton *play*…

Les premiers accords de guitare de *Satisfaction* lui déchirèrent les oreilles, comme si un Boeing lui traversait le cerveau.

Il poussa un hurlement, lâcha l'appareil et retira le casque de ses oreilles. Secoué, il remit précipitamment portefeuille, téléphone et baladeur mp3 dans les poches de la veste desquelles ils n'auraient jamais dû sortir.

Décidément, le futur s'annonçait compliqué...

*

Elliott a *60* ans

Le spectacle touchait à sa fin. Au milieu du bassin, deux orques énormes, lancées comme des fusées, fendaient l'eau à une vitesse stupéfiante. Arrivées au bout de la piscine, elles firent un demi-tour coordonné suivi d'un saut avant de retomber à plat dans un énorme *Splash*, jaillissement d'eau et d'écume qui arrosa les spectateurs assis aux premiers rangs.

Elliott reçut un peu d'eau de mer sur le visage mais, toujours hypnotisé par Ilena, il n'y prêta pas attention.

Pour terminer en beauté, la jeune femme grimpa au sommet du portique qui dominait le bassin et coinça un poisson entre ses dents. Pendant de longues secondes, tout le public retint son souffle jusqu'à ce qu'Anouchka, l'orque dominatrice du bassin, dresse sa masse énorme hors de l'eau pour s'emparer délicatement du poisson.

Sous un tonnerre d'applaudissements, Ilena salua le public. Alors qu'elle parcourait l'assistance, son regard croisa fugacement celui du vieil homme et elle se troubla.

Cette ressemblance...

Spontanément, elle laissa parler son cœur et lui adressa un sourire radieux, plein de confiance et de chaleur. Pendant un moment, le temps fut suspendu. Elliott se perdit dans ce sourire et sut que c'est ce souvenir qu'il emporterait avec lui.

Voilà, il avait eu ce qu'il avait demandé au vieux Cambodgien : revoir avant de mourir la seule femme qu'il ait jamais aimée. Son souhait venait d'être exaucé et il devait s'en contenter.

Il sentit alors un flux de sang palpiter dans sa gorge puis un goût métallique lui envahit la bouche. Brutalement, le souffle lui manqua et il fut saisi par le tremblement qui annonçait le retour à son époque. Sans attendre, il quitta les gradins pour rejoindre le café.

En arrivant devant la table de son double, il eut juste le temps de le prévenir.

— Cette fois, je m'en vais pour de bon, Elliott. Oublie tout ce que je t'ai dit et tout ce que tu as vu. Continue à vivre ta vie, comme si tu ne m'avais jamais rencontré.

— Vous n'allez plus revenir ?

— Non, c'était la dernière fois.

— Pourquoi ?

— Parce qu'il faut que ta vie reprenne son cours normal. Et parce que j'ai eu ce que j'étais venu chercher.

Il tremblait de plus en plus, mais il avait bien conscience qu'il ne pouvait pas s'évaporer comme ça au milieu de la salle. Elliott l'aida à remettre sa veste et le suivit jusqu'aux toilettes.

— Qu'est-ce que vous étiez venu chercher ?

— Je voulais revoir Ilena, c'est tout.

— Pourquoi ?

— Tu m'emmerdes avec tes questions !

Mais le jeune médecin n'était pas décidé à abandonner. Il avait agrippé ses mains autour du col du vieil homme comme pour l'empêcher de le quitter trop tôt.

— Pourquoi vouliez-vous revoir Ilena ? cria-t-il en le plaquant contre le mur des toilettes.

— Parce qu'elle va mourir, avoua-t-il contraint.

— Comment ça, elle va mourir ? Quand ?

— Bientôt.

— Elle a vingt-neuf ans. On ne meurt pas à vingt-neuf ans !

— Arrête ces conneries ! Tu es médecin, tu sais bien que ça peut arriver n'importe quand.

— Mais pourquoi est-elle morte aussi jeune ?

Des larmes plein les yeux, l'autre ne répondit rien. Puis, juste avant de disparaître, il eut cette phrase insoutenable :

— Parce que tu l'as tuée...

12

*Nous sommes tous à la recherche de
cette personne unique qui nous appor-
tera ce qui manque dans notre vie. Et
si on ne parvient pas à la trouver on
n'a plus qu'à prier pour que ce soit
elle qui nous trouve...*

Desperate Housewives

Floride, 1976
Elliott a *30* ans

Ils avaient pris la route au lever du jour.

Le vent soufflait fort en direction du sud, offrant
un ciel dégagé et emportant avec lui les premières
feuilles de l'automne. Au volant de la Thunderbird,
Elliott filait vers Miami pendant qu'Ilena terminait
sa nuit sur le siège passager.

La jeune femme s'était débrouillée pour obtenir

deux jours de congé et ils avaient décidé de s'offrir un week-end prolongé à Key West où vivait l'oncle paternel d'Ilena. C'était une escapade qu'ils s'étaient promis de faire depuis des années, mais qu'ils avaient sans cesse reportée. On croit toujours avoir le temps...

Pour la dixième fois en cinq minutes, Elliott tourna la tête, s'assurant que rien ne troublait le sommeil de son amie. Il la regarda comme si elle était un objet fragile et précieux sur lequel il devait veiller. La respiration régulière et paisible de la jeune femme contrastait avec l'agitation qui sourdait à l'intérieur de lui.

Il aurait dû profiter pleinement de ses vacances et de cette complicité retrouvée avec celle qu'il aimait. Pourtant, son esprit était ailleurs, totalement absorbé par ce que lui avait révélé son double. Dans sa tête résonnaient encore certaines de ses paroles aux accents menaçants : « *Ilena va mourir bientôt* » ... « *parce que tu l'as tuée* ». Tout cela paraissait absurde, mais pour l'instant, il devait malheureusement admettre que tout ce que lui avait raconté l'autre avait fini par se révéler exact.

Il y avait réfléchi toute la nuit et une chose l'avait intrigué : si Ilena devait mourir, pourquoi son *voyageur du temps* ne lui avait-il pas fourni davantage de renseignements pour lui permettre de la sauver ? Et surtout, pourquoi avait-il affirmé que c'était la dernière fois qu'il revenait le voir ?

— C'est la route qu'il faut regarder, pas moi ! l'avertit Ilena en ouvrant les yeux et en s'étirant.

— Le problème, c'est que tu es plus belle que la route...

Alors qu'elle se penchait vers lui pour l'embrasser, il eut soudain la tentation de tout lui raconter : *voilà, j'ai rencontré quelqu'un qui vient du futur et qui m'a dit que tu allais mourir bientôt. Et tiens-toi bien : ce quelqu'un c'est moi dans trente ans.*

Il ouvrit la bouche mais aucune parole n'en sortit. Il ne pouvait pas lui raconter une chose pareille, tout simplement parce que ça n'avait pas de sens. On peut demander à un ami ou à celle qu'on aime de croire à l'incroyable, à condition que l'incroyable reste dans certaines limites. Mais dans le cas présent, les limites étaient dépassées. Pas plus que Matt, Ilena ne pourrait être son alliée dans le combat qu'il allait devoir mener tout seul et il ne s'en crut pas capable. Il se sentait écrasé par le poids de ce qui lui arrivait et il douta à nouveau de sa santé mentale.

Mais cette période d'abattement ne dura pas. Bien sûr qu'il avait un allié :... son double ! Il fallait juste qu'il trouve un moyen de le forcer à revenir pour lui donner un coup de main. La dernière fois, il avait eu cette idée du tatouage pour envoyer un message par-delà le temps. Cette fois, il fallait qu'il trouve autre chose.

Mais quoi ?

*

San Francisco, 2006
Elliott a *60* ans

Après deux longues journées de pluie, le soleil avait refait son apparition sur San Francisco.

Elliott et sa fille avaient décidé de passer la journée ensemble. Après avoir loué des vélos, ils traversèrent le Golden Gate et flânèrent toute la matinée dans la campagne du *Marin County*. Pas une fois ils n'évoquèrent la maladie. Ils vivaient désormais chaque minute dans un sentiment d'urgence, déterminés à profiter pleinement de cette saloperie de vie qui vous fait prendre conscience de sa valeur juste au moment où il faut la quitter.

À midi, ils s'arrêtèrent à Sausalito et déployèrent une couverture sur la plage pour pique-niquer face à la mer. Ils parlèrent peu, chacun se contentant de la présence de l'autre. Plus rien n'avait d'importance, seul comptait le fait d'être *ensemble*.

Après le repas, ils reprirent leur route en longeant la côte pour arriver dans la petite ville de

226

Tiburon où ils firent une halte devant un stand de location de scooters des mers. Angie mourait d'envie d'essayer sans avoir vraiment le courage de franchir le pas. Comme lorsqu'elle était petite, la jeune femme eut besoin des encouragements de son père pour réussir à vaincre ses peurs.

Alors qu'il regardait sa fille enfourcher l'un des engins et s'éloigner prudemment du rivage, Elliott repensa à ce qu'il avait vécu la veille.

Grâce à la troisième pilule, il avait pu revoir Ilena, quelques semaines avant qu'elle ne meure... Jusque-là, tout paraissait simple. Il revenait dans le passé, il revoyait Ilena et tout allait bien, mais ce nouveau voyage dans le temps, bien loin de l'apaiser, l'avait bouleversé, ravivant les anciennes blessures, la culpabilité et les regrets. Surtout, il s'en voulait d'avoir trop parlé et redoutait à présent les conséquences de ses paroles. Jamais il n'aurait dû prévenir son double de la mort d'Ilena ! Et jamais il ne devrait céder à la tentation de revenir en arrière pour modifier le cours des choses. Et pourtant, cette tentation était grande. S'il prenait une seule pilule de plus, il pourrait sauver Ilena de la mort.

Sauf qu'on ne change pas impunément le passé. De ça, il en était certain. Jusqu'à présent il avait réussi à limiter les dégâts en se comportant comme un simple spectateur venu du futur, mais s'il

commençait à vouloir interférer dans le déroulement de sa vie passée, les choses risquaient de
se compliquer. Aujourd'hui, tout le monde connaît
l'effet papillon et la théorie du chaos : par le jeu
des réactions en chaîne, un événement insignifiant
peut entraîner une catastrophe à grande échelle ; le
simple battement d'ailes d'un papillon au Japon
provoquant une tempête en Floride...

Il lui restait sept pilules, mais il se fit la promesse
de ne pas les utiliser.

Car si Ilena ne mourait pas, le Elliott de 1976
allait faire sa vie avec elle. Ils achèteraient une
maison, auraient sans doute des enfants, mais Elliott
ne rencontrerait jamais la mère d'Angie, ce qui
revenait tout simplement à sacrifier la vie de sa fille.

Il avait beau tourner le problème dans tous les
sens, il en arrivait toujours à la même conclusion :
sauver Ilena revenait à condamner Angie.

Et il était hors de question qu'il prenne ce risque.

*

**Floride, 1976
Elliott a *30* ans**

Le soleil était haut dans le ciel lorsqu'ils emprun-
tèrent l'Overseas Highway, la célèbre « autoroute

au-dessus de la mer » qui prolongeait la pointe Sud de la Floride vers Cuba.

L'endroit gardait une impression de bout du monde. Sur plus de deux cents kilomètres s'étendait un chapelet d'îles et d'îlots baignant dans une eau turquoise qui rappelait celle des lagons polynésiens. Elliott et Ilena étaient aux anges, époustouflés par les pélicans qui volaient à leur hauteur et grisés par cette impression de naviguer en pleine mer au volant de leur voiture.

Droite comme un « i », la route survolait des eaux d'une clarté cristalline, sautant d'île en île par des dizaines de ponts construits sur pilotis. Ils avaient baissé la capote de la Thunderbird et trouvé une station de radio qui diffusait du bon vieux rock. Ils roulaient à bonne allure, enivrés par la vitesse et les paysages de rêve qu'ils traversaient.

En arrivant à Key Largo, ils firent une halte dans une baraque de pêcheurs transformée en restaurant. Entourés par les récifs de coraux, ils se régalèrent de beignets de crabes, de conques et de crevettes.

Ils allaient reprendre la route lorsque Elliott s'arrêta au bureau de poste du coin :

— Je vais téléphoner à Matt pour lui rappeler de nourrir mon chien.

— Ok, *Handsome*, en t'attendant, je vais acheter de la crème solaire.

Elliott entra dans le bâtiment décoré de cartes maritimes, de filets de pêche et de maquettes de bateaux. Il y avait réfléchi toute la matinée et il pensait avoir trouvé un nouveau moyen d'expédier un message dans le futur ! Au guichet, il annonça son intention d'envoyer *deux* télégrammes à San Francisco.

Le premier débutait comme ça :

```
Matt,
Merci pour tout, mais j'ai encore besoin
de ton aide.
S'il te plaît, ne cherche pas à com-
prendre le sens de ce que je vais te
demander.
Un jour, je t'expliquerai tout. En atten-
dant fais-moi confiance.
...
```

*

San Francisco, 1976
Matt a *30* ans

Un soleil doré de fin de journée perçait à tra-vers les rideaux de lin. Sa guitare à la main, Matt jouait pour Tiffany une ballade de sa composition : quelques accords « empruntés » à Elton John et des

230

paroles qu'il modifiait en incorporant le prénom de sa conquête du moment pour personnaliser la chanson.

— Ça marche encore, ces trucs-là ? demanda Tiffany, pas dupe.

Allongée nonchalamment sur le canapé, elle le regardait, amusée, tout en sirotant un cocktail.

Matt posa sa guitare et s'avança vers elle en souriant.

— Ce n'est pas très glorieux, je l'admets.

Elle reprit une gorgée d'alcool et lui rendit son sourire.

Même dans ses mea culpa, ce type joue à fond de son charme, constata-t-elle en se redressant. *Et le pire... c'est que ça marche.*

Elle était arrivée à une période de sa vie où elle n'attendait plus rien des hommes, même si ça ne l'empêchait pas de continuer à les aimer.

Matt s'assit à côté d'elle, hypnotisé par la perfection de ses jambes et par son décolleté ravageur.

Non seulement cette fille a un corps de rêve, mais en plus, sous ses airs de ravissante idiote, elle ne manque pas d'esprit.

Il chassa cette dernière pensée, comme si cette dimension intellectuelle avait quelque chose d'effrayant. Matt craignait toujours de ne pas être à la hauteur sur ce plan-là. Il n'avait pas fait d'études supérieures et il était complexé par son manque de culture, même s'il était trop fier pour le reconnaître.

Il se pencha vers Tiffany et embrassa ses lèvres.

Bon, mon petit Matt, ne te disperse pas. Concentre-toi sur une seule chose : le sexe.

Il s'était décarcassé pour convaincre Tiffany de lui laisser une seconde chance. Ça n'avait pas été facile, mais enfin il touchait au but. Sans se presser, il fit durer ce moment délicieux, posant sa main sur la cuisse de la jeune femme et remontant lentement vers son...

— IL Y A QUELQU'UN ?

Matt se leva d'un bond. Décidément, il n'arriverait jamais à...

— C'est le télégraphiste ! cria une voix derrière la porte. J'ai deux messages pour Matt Delluca.

Alors que Tiffany rajustait sa robe, Matt ouvrit la porte en maugréant, récupéra ses missives et donna un pourboire à l'employé.

— Les courriers sont numérotés, annonça ce dernier. Il faut les lire dans l'ordre.

Matt décacheta fébrilement la première enveloppe. Dans son esprit, les télégrammes étaient associés à des mauvaises nouvelles : décès, maladie, accident...

Il déplia la feuille pour y lire quelques lignes dactylographiées sur de petites bandes de papier bleu.

232

C'était un message d'Elliott, assez long et emberlificoté dont deux phrases retinrent son attention : « *Fais-moi confiance* » puis plus loin, « *Va chez moi le plus vite possible.* »

— Je suis désolé, mais je vais devoir partir, annonça-t-il à Tiffany.

Comme si elle s'était attendue à cette possibilité, la jeune femme se leva du canapé, ramassa ses escarpins et se planta devant Matt.

— Si tu passes cette porte, tu as bien conscience que tu ne coucheras *jamais* avec moi…

Il la regarda avec intensité. Le soleil qui jetait ses derniers rayons rendait sa robe transparente et ne laissait rien ignorer de ses courbes ensorceleuses.

— C'est une urgence, expliqua-t-il.

— Et moi, je ne suis pas une urgence ? répliqua-t-elle du tac au tac.

À son tour, elle planta son regard dans le sien et devina que sous ses airs de play-boy, ce type était plus profond qu'il n'y paraissait. Elle aurait bien voulu le retenir, mais pas question de céder une deuxième fois.

— Tu le regretteras toute ta vie, annonça-t-elle en défaisant négligemment un bouton de sa robe.

— Ça, j'en suis certain, admit Matt.

— Alors, tant pis pour toi.

Elle récupéra ses cliques et ses claques avant de quitter la maison.

— Pauvre type ! lança-t-elle en poussant la porte.

★

Floride, 1976
Elliott a *30* ans

Elliott et Ilena atteignirent Key West au moment où le soleil embrasait l'horizon. Ils étaient arrivés au terme de leur voyage : le point le plus au sud des États-Unis, là où commence et finit l'Amérique…

Avec ses rues étroites, ses jardins tropicaux et ses maisons coloniales, l'endroit avait quelque chose d'intemporel. Ils garèrent la Thunderbird sur le bord de mer et firent quelques pas sur la plage au milieu des hérons et des pélicans avant de rejoindre un petit café où les anciens avaient l'habitude de se réunir pour refaire le monde sous les patios. Ils avaient rendez-vous avec Roberto Cruz, l'oncle d'Ilena, un vieil habitant de l'île qui avait été l'homme à tout faire d'Hemingway lorsque le grand écrivain avait séjourné à Key West, dans les années trente. Depuis, la municipalité avait racheté la maison pour en faire un musée et Roberto faisait office de gardien. Vêtu d'une chemise hawaïenne

et arborant une barbe grisonnante, celui-ci culti-
vait une ressemblance avec le célèbre écrivain.
Il habitait une petite dépendance juste à côté de
la maison du maître et insista pour qu'Elliott et
Ilena logent chez lui plutôt qu'à l'hôtel. Les deux
jeunes gens acceptèrent et le suivirent jusqu'à leur
destination.

— Bienvenue chez Hemingway ! dit-il en
ouvrant une grille en fer forgé qui débouchait sur
une belle villa de style colonial espagnol.

Alors qu'il pénétrait dans le jardin, Elliott se
demanda si Matt avait reçu son télégramme.

★

San Francisco, 1976
Matt a *30* ans

— Salut Rastaquouère ! lança Matt en ouvrant
la porte de la maison d'Elliott.

Le petit labrador accourut en jappant, ravi de
cette compagnie. Matt lui gratta la tête et l'entraîna
dans le jardin après avoir rempli sa gamelle. La tête
ailleurs, il resta plusieurs minutes appuyé contre
un tronc d'arbre, lisant et relisant le télégramme
envoyé par son ami.

Matt était inquiet. Depuis plusieurs jours, le

comportement et les propos d'Elliott lui semblaient dépourvus de toute logique et il s'en voulait de ne pas avoir réussi à le débarrasser de ses fantasmes. Il avait cru qu'il suffirait de le flanquer dans un avion pour lui remettre les pieds sur terre, mais ça n'avait pas suffi. Dès le départ, cette histoire de « voyageur du temps » ne lui avait rien laissé augurer de bon. Plus les jours passaient, plus un mauvais pressentiment le poussait à croire que quelque chose de grave allait arriver à son ami.

Malgré son scepticisme, le jeune Français exécuta à la lettre les instructions contenues dans le télégramme. Elliott était peut-être en train de perdre la boule, mais Matt avait décidé de rester loyal envers son ami qui était sa seule famille, son unique point d'équilibre. Matt était un enfant de l'Assistance qui avait passé son enfance et son adolescence dans la région parisienne, trimballé de famille en famille. À quinze ans, il avait quitté l'école sans bagage, enchaînant des petits boulots sans perspective et des coups pas très nets. Plusieurs fois, il s'était retrouvé pris au milieu de bagarres qui avaient mal tourné et il avait fini sa nuit au commissariat. Alors qu'il commençait à être « connu des services de police » il avait décidé de quitter la France pour tenter sa chance en Amérique. N'ayant rien à perdre, il avait vendu tout ce qu'il possédait pour se payer un aller simple vers le Nouveau Monde. À sa place, beaucoup auraient déchanté depuis longtemps, mais il était débrouillard et doué pour les rapports humains. À New York d'abord puis en Californie, il s'était tout de suite senti à l'aise dans cette société ouverte qui attachait peu d'importance aux diplômes ou à l'origine sociale.

Comme mentionné sur le télégramme, Matt trouva dans la bibliothèque un volumineux atlas. Un ouvrage déjà ancien mais toujours magnifique avec ses illustrations soignées protégées par du papier de soie. Entre les pages 66 et 67, il glissa – sans l'avoir ouvert – le second télégramme avant de remettre le livre à sa place sur les rayonnages.

Il se rendit ensuite dans le garage, fouilla dans la boîte à outils pour mettre la main sur un vieux fer à souder qu'il remonta avec lui dans la maison. Il brancha l'appareil dans le bureau d'Elliot, le laissa chauffer un moment avant de s'en saisir avec précaution et d'approcher la pointe rougeoyante de la table de travail en bois massif.

★

San Francisco, 2006
Elliott a *60* ans

La nuit était tombée depuis longtemps lorsque Elliott regagna la marina. Il venait de l'aéroport où Angie avait pris le dernier vol pour New York. En poussant la porte de sa villa, il ressentit un sentiment d'accablement et de solitude extrêmes. L'esprit ailleurs, il s'avança devant la baie vitrée de son bureau, regardant sans les voir les lumières du port qui brillaient dans la nuit. La maison était comme lui : triste et glacée. Tremblant de froid, il se frictionna le haut des bras pour se réchauffer. Alors qu'il se dirigeait vers le radiateur, il marqua un temps d'arrêt. Sur la table de son bureau, s'étalait une inscription grossièrement pyrogravée :

GRAND ATLAS
PAGE 66

Il se rapprocha, éberlué. Cet horrible graffiti n'était pas là ce matin. Pourtant, il paraissait déjà patiné par le temps.

Mais qui s'est amusé à... ?

Il ne fut pas long à répondre à cette question. Après le coup du tatouage, voilà que l'autre petit con essayait de lui envoyer un nouveau message. Restait à en comprendre la signification.

Grand atlas ? Il mit un moment à saisir la référence. Le seul atlas qu'il ait jamais possédé était un cadeau offert par sa mère quelques jours seulement avant son suicide. Il avait pieusement conservé ce livre dans sa bibliothèque mais il ne l'avait jamais ouvert. Il s'avança vers les rayonnages et grimpa sur une chaise pour mettre la main sur l'ouvrage recherché.

Page 66 ?

Il tourna les pages avec précipitation.

Se pourrait-il qu'au bout de tant d'années...

Une enveloppe bleu pâle tomba sur le parquet.

Un télégramme ?

Il n'en avait plus vu depuis des siècles.

Il le ramassa et, sans même l'examiner, déchira fébrilement les deux bords selon les pointillés.

À l'intérieur, quelques lignes dactylographiées qui avaient traversé le temps et attendu trente ans que quelqu'un pose les yeux sur elles :

```
Alors, surpris ?
Vous vous croyez tout-puissant, n'est-ce
pas ? Parce que vous avez trouvé un
moyen de faire des allers-retours dans
le passé, vous vous croyez autorisé à
```

foutre l'angoisse dans la vie des autres
et à repartir sans demander votre reste ?
Mais ça ne marche pas comme ça, mon
vieux…
Car si on y réfléchit bien, vous avez
peut-être la connaissance de mon futur,
mais c'est moi qui contrôle votre passé.
Vous ne pouvez rien contre moi alors que
ce sont les conséquences de mes actes
qui influent sur votre vie.
À présent, j'ai renversé les rôles et
c'est moi qui mène le jeu.
Je veux des explications et je les veux
maintenant.
Je vous attends.
Ce soir.

Terrifié par ce qu'il venait de lire, Elliott posa le
télégramme sur son bureau. Il avait ouvert la boîte
de Pandore et ses pires craintes se réalisaient… Il
prit quelques secondes pour réfléchir à la situation,
puis, résigné, il s'empara du flacon de pilules qu'il
gardait toujours avec lui et se fit violence pour en
avaler une.

Dehors, il y eut un éclair et le tonnerre gronda.
Par un jeu de miroirs, la vitre du salon lui renvoya le regard de celui qui était désormais son pire
ennemi : lui-même.

13

Quatrième rencontre

Nous traversons le présent les yeux bandés. [...] Plus tard seulement, quand est dénoué le bandeau et que nous examinons le passé, nous nous rendons compte de ce que nous avons vécu et nous en comprenons le sens.

Milan KUNDERA

Key West, Floride, 1976
Deux heures du matin
Elliott a *30* ans

La tempête faisait rage sur Key West, privant d'électricité toutes les habitations de l'île. Elliott n'arrivait pas à trouver le sommeil. Sans réveiller

Ilena profondément endormie à côté de lui, il alluma la lampe à pétrole et décida d'explorer la demeure d'Ernest Hemingway.

Sous le feu des éclairs, la maison semblait secouée par la pluie et le vent, à la manière d'un navire au milieu d'une tempête. Alors qu'Elliott empruntait l'escalier central, un puissant coup de tonnerre fit trembler toutes les vitres. Le jeune médecin tressaillit, songea une demi-seconde à revenir sur ses pas, puis haussa les épaules.

N'empêche qu'il avait eu la trouille...

Une fois en haut, il avança sur le parquet grinçant, jusqu'au bureau du maître. Il ouvrit doucement la porte lorsque quelque chose lui sauta au visage en émettant un sifflement.

Un chat !

Il avait lu quelque part qu'Hemingway les adorait et qu'il en possédait une cinquantaine. Il porta la main à son visage : le félin lui avait envoyé un bon coup de griffes, lui lacérant la joue au passage.

Décidément, moi et les animaux...

Il fit quelques pas dans le bureau, découvrant avec émerveillement les objets personnels du grand écrivain : sa vieille machine à écrire qui l'avait suivi dans l'Espagne de la guerre civile, une céramique offerte par Picasso, une collection de stylos à plume, un masque africain menaçant, des dizaines de coupures de presse et de photos…

Une atmosphère magique régnait dans cette pièce. Il faut dire qu'entre parties de pêches et beuveries, le père Hemingway avait pris le temps d'écrire quelques chefs-d'œuvre à Key West dont *L'Adieu aux armes* et *Les Neiges du Kilimandjaro*.

Pas si mal, pensa Elliott, alors que la lumière revenait enfin.

Il souffla sur la flamme de sa lampe et s'approcha d'un vieux gramophone. Précautionneusement, il plaça le premier disque qui lui tomba sous la main et quelques secondes plus tard des notes de violon et de guitare s'élevèrent dans la pièce : Django Reinhardt et Stéphane Grappelli, le meilleur du jazz des années trente…

Mais tout à coup, le disque dérailla et les ampoules grésillèrent avant que la pièce ne replonge dans l'obscurité.

C'est bien ma veine, pensa Elliott, *pourquoi est-ce que j'ai éteint ma lampe ?*

Il chercha à la rallumer, mais il avait laissé son briquet dans la chambre.

Dans le bureau, on ne distinguait plus grand-chose, hormis les traînées de pluie qui lacéraient les vitres. Le jeune médecin resta plusieurs minutes figé dans le noir, espérant que la lumière revienne d'un instant à l'autre.

Soudain, il sentit une présence suivie d'une respiration et d'un bruit métallique.

— Qui est là ? demanda-t-il d'une voix mal assurée.

Pour toute réponse, la flamme d'un briquet jaillit quelques mètres devant lui. Il reconnut les yeux brillants de son double qui le regardaient dans la nuit.

— Tu veux des explications, p'tit gars ? Eh bien je vais te les donner...

*

Le vieux médecin enflamma la mèche de la lampe à pétrole avant de s'installer dans un fauteuil de cuir havane et de se tourner vers Elliott.

— Dites-moi ce qui va arriver à Ilena ! cria ce dernier avec la fougue de la jeunesse.

— Assieds-toi et arrête de hurler.

Rongé par l'impatience, Elliott consentit de mauvaise grâce à prendre un siège de l'autre côté du bureau. Son interlocuteur fouilla dans la poche intérieure de sa veste pour se saisir d'une photographie.

— Elle s'appelle Angie, expliqua-t-il en lui

tendant le cliché. Elle a vingt ans et c'est la personne à laquelle je tiens le plus au monde.

Elliott regarda attentivement la photo.

— Est-ce que sa mère...

— Non, sa mère n'est pas Ilena, le coupa le vieil homme en anticipant la question.

— Pourquoi ?

— Parce qu'à la naissance de ma fille, Ilena était morte depuis dix ans.

Elliott encaissa l'information sans ciller.

— Pourquoi est-ce que je vous croirais ?

— Parce que je n'ai aucune raison de te mentir.

Le jeune médecin posa alors la question qui le tourmentait depuis la veille :

— En admettant que ce soit vrai, pourquoi dites-vous que c'est *moi* qui l'ai tuée ?

L'homme en face de lui marqua une pause comme pour bien peser chaque mot avant de confirmer :

— Tu l'as tuée parce que tu l'aimes mal.

— J'ai assez entendu de conneries comme ça ! s'emporta Elliott en se levant.

— Tu l'aimes comme si vous aviez la vie devant vous... Ce n'est pas comme ça qu'il faut aimer.

Brièvement, Elliott prit cet argument en considération avant de le rejeter. Mais le problème n'était pas là. Pour l'heure, il fallait qu'il obtienne le plus de renseignements possible, pas qu'il philosophe sur l'amour. Aussi recentra-t-il la conversation sur la seule chose qui l'intéressait vraiment :

— Comment Ilena est-elle censée mourir ?

— Elle va avoir un accident.

— Un accident ? Quel genre d'accident ? Et quand ?

— Ça ! Ne compte pas sur moi pour te le dire.

— Et pourquoi ?

— Parce que je ne veux pas que tu la sauves...

*

Pendant quelques secondes, Elliott resta muet, immobile devant le rideau de pluie qui tapissait la vitre. Il sentait que la discussion lui échappait et qu'il n'en saisissait plus la logique :

— Mais enfin, c'est l'occasion ou jamais... Vous avez trouvé un moyen pour remonter le temps et vous allez laisser crever la femme de votre vie ?

— Ne crois pas que ce soit de gaieté de cœur ! s'énerva le vieil homme en abattant son poing sur la table. Je ne pense qu'à ça depuis trente ans ! *Si seulement* je pouvais revenir en arrière, *si seulement* je pouvais la sauver, *si seulement*...

— Eh bien, arrêtez d'y penser. Faites-le !

— Non !

— Pourquoi pas ?

— Parce que si l'on sauve Ilena, tu feras ta vie avec elle.

— Et alors ?

— Et alors, jamais tu ne concevras Angie...

Elliott n'était pas sûr de comprendre :

— Où est le problème ? demanda-t-il en haussant les épaules, j'aurai d'autres enfants...

— D'autres enfants ? Mais je me fous de tes autres enfants. Moi, je ne veux pas perdre ma fille ! Je ne veux pas d'un monde où Angie n'existerait pas !

— Et moi, je ne laisserai pas mourir Ilena, répondit Elliott, déterminé.

Animés par la colère, les deux hommes s'étaient levés. Ils n'étaient plus à présent qu'à quelques centimètres l'un de l'autre, se faisant face, debout, prêts à tenter un ultime coup de bluff :

— Tu crois peut-être que tu mènes la danse parce que tu es plus jeune, mais sans moi, tu ne sauras jamais comment est morte Ilena et tu ne pourras rien faire pour la sauver.

— En tout cas, si Ilena meurt, ne comptez pas sur moi pour être le géniteur de votre Angie !

— Quand tu seras père, tu me comprendras Elliott : on n'abandonne pas son enfant, même pour sauver la femme qu'on aime...

Ils restèrent ainsi un long moment, les yeux

dans les yeux, chacun campé sur ses positions. La complicité qui les avait unis lors de leur dernière rencontre avait fait place à l'affrontement.

La lutte d'un homme contre lui-même, à deux âges différents de sa vie. Chacun étant prêt à se battre jusqu'au bout : l'un pour sauver sa femme, l'autre pour ne pas perdre sa fille.

Alors que la discussion était dans l'impasse, le plus vieux des deux entrevit une issue :

— Jusqu'où es-tu prêt à aller pour sauver Ilena ?

— Aussi loin qu'il le faudra, répondit Elliott sans se démonter.

— À quoi es-tu prêt à renoncer ?

— À tout.

— Alors, j'ai peut-être une idée...

*

La pluie tombait toujours aussi fort.

Les deux hommes avaient fini par s'asseoir l'un à côté de l'autre sur le banc en noyer qui jouxtait le bureau. Derrière eux, à travers la fenêtre, on distinguait à intervalles réguliers la lumière du phare de Key West qui projetait leurs ombres sur le mur et le parquet.

— Tu veux sauver Ilena et c'est légitime, mais

tu ne pourras le faire que si tu t'engages à respecter trois conditions...

— Trois conditions ?

— La première, c'est que tu ne parles à personne de ce qui nous arrive. Pas à Ilena bien sûr, mais pas même à Matt.

— Je fais confiance à Matt, protesta Elliott.

— Ce n'est pas une question de confiance, c'est une question de danger. Écoute, je suis persuadé que l'on fait une erreur, une terrible erreur en cherchant à aller contre le destin et qu'on aura à la payer très cher un jour ou l'autre. Moi, je suis prêt à prendre ce risque avec toi, à condition que tu n'impliques personne d'autre.

— Quelle est la deuxième condition ?

— Si nous arrivons à sauver Ilena, il faudra que tu la quittes...

— Que je la quitte ? demanda Elliott de plus en plus incrédule.

— Que tu la quittes et que tu ne la revoies plus jamais. Elle reste en vie, mais dans le déroulement de ton existence, tu devras agir comme si elle était morte.

Elliott resta pétrifié en se rendant brusquement compte de l'horreur de ce que cela impliquait. Il ouvrit la bouche, mais aucune parole n'en sortit.

— J'ai bien conscience de te demander quelque chose d'affreux, reconnut le vieux médecin.

— Et quelle est la troisième condition ? réussit à articuler Elliott d'une voix blanche.

— Dans neuf ans, le 6 avril 1985, lors d'un congrès de chirurgie à Milan, tu rencontreras une femme qui manifestera de l'intérêt pour toi. Tu répondras à ses avances et vous passerez un week-end ensemble au cours duquel notre fille sera conçue. C'est comme ça que tu devras agir, car c'est la seule façon de sauver à la fois Ilena et Angie.

À nouveau, des coups de tonnerre menaçants grondèrent dans le ciel.

Comme Elliott ne répondait rien, son double précisa :

— C'est le prix à payer pour vouloir changer le déroulement des choses. Mais tu es libre de refuser.

Le vieil homme se leva et boutonna son manteau comme s'il se préparait à sortir sous l'averse.

Elliott comprit alors qu'il n'avait pas d'autre choix que d'accepter ce pacte. En une fraction de seconde, les années heureuses qu'il venait de vivre avec Ilena défilèrent devant ses yeux. Dans le même temps, il comprit aussi que ce bonheur serait bientôt terminé et qu'il devait se préparer à vivre des années difficiles.

Alors que son double s'apprêtait à quitter la pièce, Elliott tendit la main pour le retenir.

— J'accepte ! cria-t-il.

L'autre ne se retourna pas et répondit seulement :

— Je reviendrai bientôt.

... avant de refermer la porte derrière lui.

14

Cinquième rencontre

Tout ce qui doit arriver arrivera, quels que soient vos efforts pour l'éviter.
Tout ce qui ne doit pas arriver n'arrivera pas, quels que soient vos efforts pour l'obtenir.

Râmana MAHÂRSHI

J'ai remarqué que même les gens qui affirment que tout est prédestiné et que nous ne pouvons rien y changer regardent avant de traverser la rue.

Stephen HAWKING

San Francisco, 1976
Elliott a *30* ans

Octobre,
novembre,
décembre…

Troisième mois sans nouvelles du futur !

En apparence, la vie avait repris son cours normal. Elliott soignait ses malades à l'hôpital ; Ilena s'inquiétait pour ses orques ; Matt n'avait pas revu Tiffany, mais travaillait activement au démarrage de l'exploitation viticole achetée avec Elliott.

Même s'il essayait de donner le change, le jeune médecin vivait désormais dans l'angoisse, s'inquiétant des moindres faits et gestes d'Ilena et guettant sans cesse une nouvelle apparition de son double.

Mais l'autre ne s'était plus manifesté…

Alors, certains jours, Elliott se prenait à espérer avoir rêvé toute cette histoire. Et si ces rencontres n'avaient eu lieu que dans son esprit ? Ce n'était pas impossible après tout : à cause du stress, de plus en plus de personnes étaient victimes de *burnout*, ces périodes de surmenage professionnel qui pouvaient mener à la dépression, voire à la perte de conscience des réalités. Peut-être avait-il été victime de cette pathologie. Peut-être que désormais les choses étaient rentrées dans l'ordre et que cet épisode ne serait bientôt plus qu'un mauvais souvenir.

Il aurait tant aimé le croire…

★

L'hiver avait pris ses quartiers à San Francisco, figeant la ville dans un froid et une grisaille que seules venaient égayer les illuminations de Noël.

En ce matin du 24 décembre, Elliott arriva à l'hôpital de bonne humeur. C'était sa dernière garde avant les vacances. Ilena devait le rejoindre dans la soirée et demain, ils partiraient ensemble à Honolulu pour une semaine de farniente sous les cocotiers.

Le jour n'était pas encore levé quand une ambulance arriva en trombe sur le parking de l'hôpital. À son bord, une civière et sur la civière une femme grièvement brûlée.

Tout avait commencé une demi-heure plus tôt, lorsque les pompiers s'étaient déplacés pour éteindre un début d'incendie dans un immeuble d'Haight Ashbury. C'était un bâtiment ancien et délabré que squattaient parfois les junkies. Là, sur le coup des cinq heures du matin, au pire moment d'un *bad trip* à l'héro, une jeune femme s'était renversé un bidon d'essence sur le corps avant de craquer une allumette.

Elle s'appelait Emily Duncan. Elle avait vingt ans et plus que quelques heures à vivre.

★

Les urgences ayant besoin d'un chirurgien, Elliott fut appelé en renfort immédiatement. Lorsqu'il se pencha pour examiner la patiente, il ressentit un choc devant l'atrocité des blessures.

Les lésions s'étendaient sur la totalité de son corps : des brûlures au troisième degré qui lui déformaient les jambes, le dos, le thorax… Presque tous ses cheveux avaient brûlé et son visage disparaissait sous les plaies. Sur son buste et sa poitrine, une large brûlure constrictive semblait la dévorer, rétrécissant son thorax jusqu'à l'étouffer.

Pour lui permettre de mieux respirer, Elliott choisit de pratiquer deux incisions latérales, mais au moment d'approcher le bistouri de son torse, il sentit sa main marquer un mouvement de recul. Alors, il ferma les yeux une seconde, cherchant à faire le vide pour retrouver sa concentration. Finalement, le professionnalisme reprit le dessus sur son émotivité et il put commencer l'intervention sans trembler.

Pendant une bonne partie de la matinée, l'équipe médicale se démena autour d'Emily, faisant tout son possible pour lui prodiguer les meilleurs soins et calmer la douleur intense qui l'étreignait.

Assez vite pourtant, il fut évident que la jeune fille ne pourrait pas être sauvée. Ses blessures étaient trop étendues, ses capacités respiratoires trop faibles et ses reins ne fonctionnaient plus. On se contenta alors de la stabiliser et d'attendre...

★

En début d'après-midi, lorsque Elliott poussa la porte de la chambre d'Emily, il la découvrit recouverte de bandages et cernée par les perfusions. Il fut étonné par le calme étrange qui régnait dans la pièce, comme un prélude à une veillée funèbre seulement troublée par les battements de cœur qui s'échappaient du moniteur.

Elliott s'approcha du lit et regarda la jeune femme. Sa tension restait inquiétante, même si les effets de l'héroïne s'étaient dissipés et qu'elle semblait avoir repris conscience.

Suffisamment peut-être pour comprendre qu'elle était condamnée...

Il prit un tabouret et s'assit en silence près de cette fille qu'il ne connaissait pas et pour laquelle il ne pouvait plus rien faire. On ne lui avait découvert aucune famille et personne n'était là pour l'accompagner dans son dernier combat. Elliott aurait préféré être ailleurs, mais il n'évita pas ce regard désespéré qui s'accrochait au sien. Il y lisait de la terreur, mais aussi des questions auxquelles il n'avait pas de réponse...

À un moment, elle essaya de murmurer quelque chose à son intention. Il se pencha vers elle, souleva le masque à oxygène et crut entendre « *j'ai mal* ». Pour calmer la douleur, il décida d'augmenter la dose de morphine. Il allait le consigner par écrit lorsqu'il comprit soudain qu'Emily n'avait pas dit « *j'ai mal* », mais :

— J'ai peur...

Que pouvait-il répondre à ça ? Que lui aussi avait peur, qu'il regrettait de ne pas être capable de la sauver, qu'un jour comme aujourd'hui, la vie lui paraissait ne pas avoir de sens ?

Il aurait aimé tout à la fois la prendre dans ses bras et en même temps lui clamer son indignation. Pourquoi ce geste de folie ? Par quel enchaînement de circonstances se retrouve-t-on dans un squat minable, droguée au dernier degré ? Quelle douleur justifiait que l'on s'asperge d'essence pour se faire cramer quand on n'a même pas vingt ans ?

Il aurait aimé lui crier tout cela. Mais ce n'est pas ce que sont censés faire les médecins dans les hôpitaux...

Alors, il se contenta de rester avec elle, l'entourant de toute la compassion dont il était capable. Car il n'y avait personne d'autre pour le faire. On était la veille de Noël, l'hôpital tournait en sous-effectif et surtout, le système n'avait pas prévu ça : le système était prévu pour soigner, pas pour accompagner.

Emily respirait de plus en plus mal et frissonnait sans arrêt.

Malgré la morphine, Elliott savait qu'elle souffrait atrocement. Il savait aussi que jamais il n'oublierait ses yeux s'accrochant désespérément aux siens.

On croit toujours avoir tout vu dans ce boulot, mais c'est faux. On croit que l'on connaît le pire mais le pire est toujours à venir. Et on trouve toujours pire que le pire.

*

Une heure passa ainsi, puis deux. À quinze heures, alors qu'Elliott avait officiellement terminé son service, il se leva doucement.

— Je vais revenir, promit-il à Emily.

Il sortit dans le couloir et appela l'ascenseur. Il fallait qu'il prévienne Ilena, qu'il lui explique qu'il ne pourrait pas venir la chercher à l'aéroport et qu'il rentrerait sans doute au milieu de la nuit.

Dans le hall, il trouva une cabine téléphonique et composa le numéro de l'*Ocean World*, en espérant qu'elle ne soit pas encore partie. Il tomba sur le standard et demanda à être mis en communication avec le bureau de la vétérinaire.

— Allô ? fit la voix d'Ilena.

— Salut… commença-t-il, avant de prendre conscience qu'il parlait dans le vide.

Il tourna la tête : quelqu'un avait plaqué sa main sur l'interrupteur et venait d'interrompre la conversation.

Son double.

— C'est aujourd'hui… le prévint le vieil homme.

— Aujourd'hui ?

— Aujourd'hui qu'Ilena doit mourir.

*

D'un commun accord, les deux médecins montèrent sur la terrasse du toit de l'hôpital. À des âges différents, ils étaient venus ici pour fumer leur cigarette sans avoir à endurer les regards réprobateurs de leurs collègues. Ici, au moins, ils savaient qu'ils seraient à peu près tranquilles.

Tandis qu'Elliott s'agitait dans tous les sens, pressé d'en apprendre davantage, son double lui mit une main ferme sur l'épaule.

— Il ne faut pas que tu passes ce coup de téléphone.

— Pourquoi ?

— Parce que Ilena ne va pas comprendre.

— Quoi ?

— Que tu la délaisses pour rester avec une patiente alors que tu as fini ton service. Tu ne l'as pas vue depuis trois semaines : elle attend que tu viennes la chercher à l'aéroport et que vous passiez la soirée ensemble.

Elliott essaya de se justifier :

— Cette jeune femme, c'est terrible ce qui lui arrive. Elle n'a plus personne et…

— Je sais, compatit le vieil homme. Il y a trente ans, je l'ai veillée toute la nuit et jamais je ne l'ai oubliée.

Sa voix s'était chargée d'émotion. Il continua :

— Mais au petit matin, alors que je quittais l'hôpital, une nouvelle terrible m'attendait : la femme que j'aimais était morte.

Elliott écarta les bras en signe d'incompréhension.

— Quel rapport entre cette patiente et la mort d'Ilena ?

— Je vais tout te raconter, promit le vieil homme. Je veux juste être certain que notre pacte tient toujours.

— Toujours, assura Elliott.

— Alors, voilà ce qui se passera si tu donnes ce coup de fil.

Le vieux médecin commença son récit. Il parla longtemps, d'une voix fiévreuse où perçaient les regrets.

Pour mieux l'écouter, Elliott avait fermé les yeux. Dans son esprit, les images défilèrent comme dans un film...

★

Ilena : *Allô ?*

Elliott : *Salut, c'est moi.*

Ilena : *Pas la peine d'insister, tu ne connaîtras pas ton cadeau avant ce soir !*

Elliott : *Écoute chérie, j'ai un problème...*

Ilena : *Qu'est-ce qui t'arrive ?*

Elliott : *Je ne pourrai pas venir t'attendre à l'aéroport...*

Ilena : *Je croyais que tu terminais à trois heures.*

Elliott : *C'est vrai, j'ai fini mon service...*

Ilena : *Mais ?*

Elliott : *Mais je dois rester avec une patiente. Une jeune fille qui a tenté de se suicider ce matin dans un squat...*

Ilena : *Une droguée ?*

Elliott : *Qu'est-ce que ça change ?*

Ilena : *Si je comprends bien, tu es en train de me dire que tu passes la soirée de Noël à l'hôpital avec une junkie que tu ne connais que depuis quelques heures ?*

Elliott : *Je fais seulement mon travail.*

Ilena : Ton travail ! Mais tu crois que tu es le seul à avoir un travail ?

Elliott : Écoute...

Ilena : Je suis fatiguée de t'attendre Elliott.

Elliott : Pourquoi tu réagis comme ça ?

Ilena : Parce que ça fait dix ans que je t'attends et tu ne t'en aperçois même pas.

Elliott : On reparlera de tout ça demain matin...

Ilena : Non, Elliott. Je ne viens plus à San Francisco. Rappelle-moi le jour où tu seras sûr de vouloir faire ta vie avec moi.

Elliott demeura plusieurs minutes devant la cabine téléphonique. Trois fois, il prit le combiné dans sa main, prêt à rappeler Ilena pour s'excuser et pour tenter d'arranger les choses. Pourtant, il ne le fit pas, car il était incapable d'abandonner la jeune femme en train d'agoniser deux étages plus haut.

Ilena attendit une demi-heure devant le téléphone puis, comprenant qu'Elliott ne rappellerait pas, elle déchira rageusement son billet d'avion et le fourra dans la corbeille. Dans la corbeille aussi, le cadeau qu'elle lui avait acheté et dont il ne verrait jamais la couleur : une montre gravée à ses initiales.

Elle sortit de son bureau complètement abattue et se réfugia dans les jardins privés du parc où *elle pleura toutes les larmes de son corps, devant les flamants roses et les alligators qui se foutaient pas mal de son chagrin.*

Puis, elle décida d'annuler ses congés et de reprendre son travail Elle consacra la fin de son après-midi à sa tournée habituelle, comme si de rien n'était. Il faisait nuit depuis longtemps lorsqu'elle termina ses inspections par une visite à son orque préférée.

— Hello, Anouchka. Ça ne va pas fort pour toi non plus, n'est-ce pas ?

Depuis quelques jours, la doyenne des orques de l'Océan World était dépressive, refusant de se nourrir et de participer aux spectacles. Son aileron était flasque et sa docilité avait fait place à une agressivité envers ses soigneurs et les autres orques qui partageaient son bassin. La cause de son comportement n'était pas à chercher bien loin : âgée de huit ans à peine, sa fille Erica lui avait été arrachée pour participer en Europe à un programme de reproduction des cétacés. Un voyage en avion de plus de vingt heures dans une boîte en ferraille sans même un soigneur pour la rassurer !

Une aberration...

Ilena avait fait tout son possible pour s'opposer à ce transfert, mettant en avant les conséquences traumatisantes d'un tel déracinement, expliquant que les membres d'un pod[1] ne se séparaient jamais en milieu naturel. Mais, pour des raisons finan-cières, la direction n'avait pas suivi ses recom-mandations. Les parcs aquatiques anticipaient en effet une prochaine interdiction de capture des cétacés en cherchant à développer les naissances en captivité.

— Come on, baby !

Ilena s'était penchée sur l'eau pour inciter l'orque à s'approcher du bord, mais Anouchka ne répondit pas à ses appels. L'orque tournait en rond, éperdue, en poussant des sifflements plaintifs.

Ilena craignait une chute de ses défenses immu-nitaires : malgré les apparences, ces mastodontes étaient fragiles, à la merci du moindre microbe. Les infections rénales et pulmonaires étaient monnaie courante. Joaquim, le mâle dominant du bassin, en avait fait l'amère expérience six mois plus tôt en étant foudroyé par une septicémie. Tel était parfois le sort de ces géants : être vaincu par plus petit que soi.

De plus en plus souvent, Ilena se sentait mal à l'aise à propos de la captivité des cétacés. Pri-sonniers entre quatre murs, barbotant dans une eau traitée aux produits chimiques, nourris aux

---

1. Communauté d'orques voyageant ensemble.

vitamines et aux antibiotiques, les dauphins et les orques des parcs aquatiques n'avaient pas la vie idéale que l'on voulait bien décrire aux visiteurs. Quant aux spectacles, ils étaient certes impressionnants, mais ne constituaient-ils pas une sorte d'insulte à l'égard de cette espèce dont les capacités cognitives n'étaient pas si éloignées de celles de l'être humain ?

Soudain, sans raison apparente, Anouchka se mit à charger, donnant de violents coups de tête contre la rambarde métallique du bassin.

— Ne fais pas ça ! ordonna Ilena en plongeant précipitamment une perche pour repousser l'animal.

Elle avait déjà vu des orques avec des tendances suicidaires et il était clair qu'Anouchka cherchait à se blesser volontairement. Inquiète, elle lui jeta quelques poissons pour la détourner de son funeste projet.

— Tout doux ! Tout doux ma belle !

Progressivement, les assauts de l'animal perdirent de leur puissance et Anouchka sembla retrouver son calme.

— C'est bien Anouch, fit Ilena un peu plus rassurée...

... jusqu'à ce qu'elle aperçoive un long filet de sang colorer la surface de l'eau.

— Oh non !

À force de s'infliger des coups, l'orque s'était blessée.

La jeune soigneuse se pencha sur l'eau. À première vue, la blessure se situait au niveau de la mâchoire de l'animal

Ilena aurait dû respecter la règle d'or des soigneurs : ne jamais solliciter une orque lorsque celle-ci est agressive et ne l'accompagner dans l'eau que si l'on est certain de sa complicité.

Elle aurait dû activer le signal d'alarme.

Elle aurait dû prévenir ses collègues.

Elle aurait dû...

Mais encore sous le choc de sa dispute avec Elliott, Ilena avait baissé la garde.

Et elle plongea dans le bassin où Anouchka avait repris sa ronde frénétique.

Lorsqu'elle sentit qu'Ilena venait dans sa direction, l'orque lui sauta dessus d'un seul coup, ouvrant la gueule comme pour la mordre avant de l'entraîner vers le fond.

Ilena se débattit, mais l'orque était la plus forte. Chaque fois que la jeune femme refaisait surface, l'animal l'enfonçait sous l'eau sans lui laisser le moindre répit.

Ilena était une nageuse émérite, capable de rester plusieurs minutes en apnée.

Mais on ne lutte pas longtemps contre un animal de quatre tonnes et de six mètres de long...

À un moment pourtant, alors qu'elle n'y croyait plus, elle réussit à faire surface et à reprendre sa respiration. Dans un mouvement désespéré, elle entreprit de nager vers le bord du bassin. Elle y était presque lorsque...

Elle se retourna.

Dans une demi-seconde d'horreur, elle eut le temps d'apercevoir l'énorme nageoire caudale de l'orque s'abattre sur elle à une vitesse phénoménale.

Le choc fut terrible et la douleur qui suivit si intense qu'elle lui fit presque perdre connaissance. Elle coula sans se débattre, se laissant entraîner vers le fond. Dans un ultime moment de lucidité, alors que ses poumons se remplissaient d'eau salée, la jeune femme se demanda pourquoi Anouchka, qu'elle soignait depuis des années, avait réagi si violemment. Sans doute n'y avait-il pas de réponse à cette question. Sans doute qu'à la longue, la vie dans un bassin peut rendre fou...

Sa dernière pensée fut pour l'homme qu'elle aimait. Elle avait toujours été persuadée qu'ils vieilliraient ensemble et voilà qu'elle s'en allait la première, à même pas trente ans.

Mais on ne choisit pas son destin. La vie avait décidé à leur place et n'est-ce pas toujours le cas ?

Tenaillée par la panique et l'effroi, cernée par l'obscurité, elle se sentit happée par un courant mortel. Alors qu'elle basculait définitivement de l'autre côté, elle regretta seulement qu'ils se soient quittés sur une dispute et que la dernière image qu'Elliott garderait d'elle soit entachée par l'amertume et le ressentiment.

*

Le vent soufflait son haleine glacée sur le toit de l'hôpital.

Comme au sortir d'un cauchemar, Elliott ouvrit les yeux tandis que son double achevait son effrayant récit.

Les deux hommes restèrent sans parler, l'un terrifié par ce qu'il venait d'apprendre, l'autre encore sous le choc de ce qu'il avait raconté.

Puis Elliott secoua la tête et ouvrit la bouche avant de marquer une hésitation. Anticipant ses réserves, le vieux médecin sortit un papier jauni de sa poche.

— Si tu ne me crois pas… commença-t-il.

Elliott lui arracha presque la feuille des mains. C'était un vieil article découpé dans le *Miami Herald*.

Malgré son aspect jauni, le journal portait la date du lendemain : le 25 décembre 1976 !

Les mains tremblantes, Elliott parcourut le texte, illustré d'une grande photo d'Ilena.

Une jeune vétérinaire
tuée par une orque !

Terrible catastrophe la nuit dernière à l'*Océan World* d'Orlando où une baleine tueuse s'en est pris de façon inexpliquée à sa soigneuse.

Il n'aura fallu que quelques minutes au cétacé pour agresser et noyer celle qui ne cherchait pourtant qu'à la secourir : Ilena Cruz, la vétérinaire du parc marin. Si les circonstances précises de l'accident sont encore mal connues, il semblerait que la jeune soigneuse n'ait pas respecté toutes les procédures de sécurité. En attendant d'en savoir plus, la direction du delphinarium s'est refusée à tout commentaire.

Lorsqu'il leva les yeux du journal, ce fut pour voir le vieux médecin qui s'éloignait dans le brouillard.

— Maintenant, à toi de jouer ! lui lança l'autre avant d'ouvrir la porte métallique et de disparaître.

Comme abandonné à lui-même, Elliott resta encore quelques secondes sur le toit, déstabilisé, figé par le froid, l'incrédulité et l'indécision. Puis il cessa de s'interroger : l'heure n'était plus aux questions mais à l'action.

À son tour, il quitta la plate-forme et se précipita dans l'escalier pour rejoindre les cabines téléphoniques.

Peu importe ce qui se passerait demain.

Peu importe le prix à payer.

Il allait sauver la femme qu'il aimait.

Et rien d'autre n'avait d'importance.

*

Il déboula dans le hall d'entrée, lancé comme un missile, bouscula quelques collègues avant de s'emparer d'un combiné et de composer le numéro d'Ilena.

Tonalité… Premières sonneries… Les secondes qui semblent des minutes, puis enfin, une voix :

Ilena : *Allô ?*

Elliott : *Salut, c'est moi.*

Ilena : *Pas la peine d'insister, tu ne connaîtras pas ton cadeau avant ce soir !*

Elliott : *Écoute, chérie…*

Ilena : *Qu'est-ce qui t'arrive ?*

Elliott : *Rien... Je viens te chercher tout à l'heure à l'aéroport, comme prévu.*

Ilena : *J'ai hâte de te voir...*

Elliott : *Moi aussi.*

Ilena : *Tu as une voix bizarre, tu es sûr que ça va ?*

Elliott : *Maintenant, ça va.*

★

Après avoir raccroché, Elliott fut incapable de retourner dans la chambre pour soutenir le regard d'Emily, la jeune brûlée qui n'en finissait pas d'agoniser. Il demanda seulement à l'une des infirmières de garde de passer la voir régulièrement. Puis il enfila son manteau et sortit sur le parking.

Y avait-il le moindre sens à ce qu'il venait de faire ? Avait-il vraiment changé son futur et celui d'Ilena ? Suffit-il parfois d'une phrase à la place d'une autre pour faire basculer son destin ?

Toutes ces questions se télescopaient dans sa tête, tandis qu'il regagnait sa voiture. Machinalement, il alluma une cigarette et mit les mains dans ses poches pour se réchauffer. Là, il sentit l'article de journal qui traînait au fond de son caban. Alors, il eut comme une inspiration. S'il avait changé l'avenir, Ilena n'avait pas eu son accident, donc

272

aucun journaliste n'avait écrit cet article, donc cet article n'existait pas !

Intrigué, il sortit la feuille jaunie de sa poche, la déplia, la tourna et la retourna. Aussi incroyable que ça puisse paraître, le contenu du journal n'était plus le même. Comme par magie, la photo d'Ilena avait disparu et, au lieu de l'article relatant la mort de la jeune soigneuse, un autre fait-divers barrait la une.

Ocean World : décès d'une des orques

Anouchka, la doyenne des orques de L'*Océan World* d'Orlando est décédée cette nuit des suites d'une plaie à la mâchoire après une collision contre la paroi métallique du bassin.

Une blessure qu'elle semble s'être infligée elle-même.

Interrogée, la direction du delphinarium admet que l'orque a peut-être agi par désespoir. Le parc venait en effet de lui retirer sa fille pour la vendre à un autre zoo. L'*Océan World* ouvrira normalement ses portes aujourd'hui.

Aucun membre du personnel n'a été blessé.

15

Sixième rencontre

*Il était mon Nord, mon Sud, mon Est
et mon Ouest...*

Wystan Hugh Auden

**San Francisco, 1976
Elliott a *30* ans**

C'est Noël.

En ce matin du 25 décembre, la douceur californienne a laissé place à un temps gris et froid. San Francisco a de faux airs de New York et on pourrait presque croire qu'il va bientôt se mettre à neiger.

La maison est silencieuse, plongée dans la lumière blafarde de l'aurore. Blottie au creux de l'épaule d'Elliott, Ilena dort d'un sommeil serein. À l'inverse, le jeune médecin a la mine de déterré de celui qui n'a pas fermé l'œil de la nuit.

Elliott tourne la tête vers Ilena, l'embrasse tendrement en prenant garde de ne pas la réveiller et reste plusieurs minutes à la contempler, sachant que ces moments sont les derniers qu'ils passent ensemble. Une ultime fois, il respire l'odeur de ses cheveux, promène ses lèvres sur le velouté de sa peau et écoute la musique des battements de son cœur.

Puis, il s'aperçoit que des larmes silencieuses coulent sur le drap. Alors, il enfile un pull et un jean et sort de la chambre sans faire de bruit.

Il ne parvient pas à croire qu'il va la quitter ! Il sait qu'il a conclu un pacte avec son double, mais maintenant qu'Ilena est sauvée, qu'est-ce qui pourrait l'empêcher de rester avec elle ? Quel moyen de rétorsion aurait l'autre enfoiré pour le forcer à respecter sa part du contrat ?

Écrasé par le chagrin, il se traîne de pièce en pièce, espérant sans trop y croire rencontrer son autre lui-même pour lui crier sa colère et son indignation. Mais l'autre ne se montre pas. L'Elliott de soixante ans avait rempli sa part du contrat et c'était maintenant à lui de tenir sa promesse.

Elliott arrive dans la cuisine et s'effondre sur

une chaise. Près de l'entrée, leurs bagages sont bouclés pour un voyage vers Hawaii que ni lui ni Ilena n'effectueront jamais. Car il sait bien qu'il n'a pas d'autre choix que de la quitter. Il sent comme une force à l'intérieur de lui, une voix qui le pousse à agir dans ce sens. Il n'est plus qu'une marionnette dont une puissance inconnue tire les ficelles en coulisse.

La table de verre lui renvoie le reflet de son visage, émacié et décomposé. Il se sent vide, défait, comme s'il avait perdu toute confiance en lui, tout repère sur la façon dont fonctionne le monde.

Depuis le premier jour où il a rencontré son double, il a l'impression de vivre dans un univers qui n'obéit plus à aucune loi. En proie à la peur de l'inconnu, il ne trouve plus le sommeil, ne mange plus, est agité de toutes sortes de questions impossibles. Pourquoi une telle chose lui arrive-t-elle à lui ? Cette rencontre est-elle une chance ou une malédiction ? A-t-il encore toute sa raison ? Il crève de n'avoir personne à qui exposer son problème.

Ça y est, il entend du bruit : le parquet qui craque et Ilena qui entre dans la pièce vêtue d'une simple petite culotte et d'une de ses chemises qu'elle a nouée au niveau de sa taille.

Elle lui lance un sourire mutin tout en fredonnant un air de Abba. Il sait que c'est la dernière fois qu'il la voit heureuse. Elle est belle comme c'est pas permis et ils n'ont jamais été plus amoureux l'un de l'autre.

Pourtant, dans quelques secondes tout va s'effondrer...

★

Ilena se rapproche d'Elliott, lui passe les bras autour du cou, mais très vite se rend compte que quelque chose ne va pas :

— Qu'est-ce qui se passe ?

— Il faut qu'on parle. Je n'en peux plus de jouer la comédie.

— Quelle comédie ?

— Nous deux...

— De... De quoi tu parles ?

— J'ai rencontré une autre femme.

Voilà, ça n'a pris que deux secondes. Deux secondes pour faire vaciller un amour de dix ans. Deux secondes pour séparer les deux faces d'une même pièce...

Ilena se frotte les yeux, s'assied devant Elliott, pense encore qu'il s'agit d'une mauvaise blague, ou qu'elle est mal réveillée, ou qu'elle a mal entendu...

— Tu plaisantes ?

— J'en ai l'air ?

278

Elle le regarde, atterrée. Il a les yeux rouges et les traits tirés. C'est vrai que depuis plusieurs mois, elle l'a souvent senti tourmenté, anxieux, en proie à l'inquiétude. Alors, elle s'entend lui demander :

— C'est qui cette femme ?

— Tu ne la connais pas : une infirmière qui fait des gardes avec moi à la *Free Clinic*.

Ça paraît toujours irréel, à tel point qu'elle pense cette fois qu'il s'agit d'un rêve. Ce n'est pas la première fois qu'elle fait un cauchemar de ce genre. Voilà c'est une saleté de cauchemar qui va bientôt prendre fin. Pourtant, elle veut savoir :

— Depuis quand tu la vois ?

— Quelques mois.

Là, elle ne sait plus quoi répondre. Elle comprend seulement que ce qu'elle a construit depuis dix ans vient brusquement de s'écrouler. Pendant ce temps, Elliott continue son entreprise de démolition :

— Nous deux, ça fait déjà un moment que ça ne fonctionne plus, constate-t-il.

— Tu ne m'as jamais rien dit...

— Je ne savais pas comment t'en parler... J'ai cherché à te le faire comprendre progressivement...

Elle voudrait se boucher les oreilles pour ne pas entendre. Naïvement, elle espère encore que toute cette discussion n'ira pas plus loin que l'aveu d'une infidélité.

Mais, Elliott en a décidé autrement :

— Je veux qu'on se sépare, Ilena.

Elle voudrait répondre, mais c'est trop doulou-reux. Elle sent, impuissante, des larmes couler sur ses joues.

— On n'est pas mariés, on n'a pas d'enfants… continue Elliott.

Elle voudrait qu'il arrête de parler parce que ses paroles sont comme des coups de poignard qu'il lui assène en plein cœur et qu'elle ne va pas pouvoir tenir longtemps à ce rythme. Alors, oubliant tout orgueil et toute fierté, elle lui avoue dans un élan :

— Mais, tu es *tout* pour moi, Elliott : mon amant, mon ami, ma famille…

Elle s'approche pour fondre dans ses bras, mais il se recule.

Elle lui lance un regard qui le déchire tout entier. Alors qu'il croit ne rien pouvoir ajouter, il ouvre quand même la bouche et parvient à articuler.

— Tu ne comprends pas : *je ne t'aime plus* Ilena.

★

C'est le matin de Noël et il est encore tôt.

Après une grasse matinée inhabituelle, San Fran-cisco s'éveille doucement. Dans cette ville perpétuellement en mouvement, les rues sont presque désertes et la plupart des magasins restent fermés.

Dans beaucoup de maisons, c'est jour de fête : les enfants sont déjà debout, pressés d'ouvrir leurs cadeaux, on entend de la musique et des cris de joie. Dans d'autres endroits au contraire, c'est un jour difficile à passer, un jour où la solitude pèse un peu plus que d'habitude. Près d'Union Square, les clochards se tassent sur les bancs publics. À l'hôpital Lenox, après une nuit agitée, une jeune fille de vingt ans est morte de ses brûlures. Quelque part sur la marina, un couple vient de se séparer…

Un taxi s'approche de la maison de verre, emportant Ilena vers l'aéroport.

À son tour, Elliott quitte le quartier. Brisé par le chagrin et la honte, il roule à travers la ville, manquant plusieurs fois de provoquer un accident. Dans le quartier chinois, les magasins sont ouverts. Elliott se gare, entre dans le premier café qu'il trouve sur sa route et file directement aux toilettes.

Alors qu'il vomit tripes et boyaux au-dessus de la cuvette, il sent soudain une présence derrière lui. Une présence qu'il a maintenant appris à connaître et à redouter…

Il se retourne d'un mouvement brusque pour assener à son double un puissant coup de poing qui le projette contre le mur carrelé.

— Tout ça, c'est à cause de vous ! !

Sonné par le choc, le vieux médecin s'écroule contre la paroi. Il se relève péniblement, accuse le coup un moment tandis qu'Elliott en remet une couche :

— C'est de votre faute si elle est partie !

Touché au vif, le plus âgé des deux hommes se rue sur le plus jeune, l'empoigne par la nuque et lui balance un coup de genou dans les parties.

Puis les deux hommes restent côte à côte, reprenant chacun leur souffle dans un climat de dépit et de rancœur.

Elliott est le premier à rompre le silence et à lâcher dans un sanglot :

— Elle était toute ma vie...

— Je le sais bien... C'est pour ça que tu l'as sauvée.

Son double lui met la main sur l'épaule et, dans une tentative pour le consoler, lui fait remarquer :

— Sans toi, elle serait morte.

Elliott lève la tête et regarde cet autre lui-même qui lui fait face. C'est bizarre : il n'arrive toujours pas à le considérer autrement que comme un étranger. Par rapport à cet homme dans lequel il a du mal à se reconnaître, il n'a encore vécu qu'une moitié de vie. L'autre a trente ans d'avance sur lui : trente ans d'expérience, trente ans de rencontres et de connaissances...

Mais peut-être aussi trente ans de remords et de regrets ?

Déjà, il sent que son voyageur du temps s'apprête à le quitter. Il reconnaît les tremblements et le saignement de nez caractéristiques.

En effet, le vieux médecin s'empare d'une serviette en papier pour arrêter l'hémorragie. Cette fois, il aurait bien aimé rester plus longtemps, car il sait que sa version plus jeune s'apprête à traverser des années difficiles. Il regrette de n'avoir pas su trouver des mots pour l'aider, tout en sachant très bien que les paroles ne sont que des alliées de faible poids face à la souffrance et à l'adversité.

Surtout, il déplore que chacun de leurs face-à-face se soit soldé par un affrontement et une incompréhension, telle une relation père-fils qui n'aurait pas dépassé le stade de l'opposition systématique.

Pourtant, il refuse de partir sans lui avoir donné autre chose qu'un coup de genou dans les couilles. Persuadé que c'est la dernière fois qu'il se voit à cet âge et se souvenant de la tristesse qu'il avait lui-même endurée à l'époque, il tente une parole de réconfort :

— Au moins, tu vivras en sachant qu'Ilena est en vie, quelque part. Moi j'ai vécu avec sa mort sur la conscience. Et crois-moi, ça fait une sacrée différence…

— Va te faire foutre...

est la seule réponse qu'il reçoit.

Décidément, il n'est pas facile de communiquer avec soi-même ! pense-t-il alors qu'il est aspiré dans les méandres du temps.

Et la dernière image que son cerveau enregistre est celle de son double, pointant un doigt d'honneur dans sa direction.

16

> *Les hommes n'ont plus le temps de rien connaître. Ils achètent des choses toutes faites chez les marchands. Mais comme il n'existe point de marchands d'amis, les hommes n'ont plus d'amis.*

Antoine DE SAINT-EXUPÉRY

San Francisco, 1976
Elliott a *30* ans

Elliott ressortit des toilettes avec la rage au cœur. Qu'avait-il fait pour mériter ça ?

Depuis qu'il avait quitté Ilena, il était hanté par la façon qu'elle avait eue de le regarder lorsqu'il avait prétendu ne plus l'aimer. Il avait ressenti sa terrible détresse et malgré ça, il s'était acharné jusqu'à l'humilier.

Bien entendu, il avait fait ça *pour elle*, pour lui

285

sauver la vie, sauf qu'elle n'en saurait jamais rien !
Et qu'elle allait passer le reste de son existence à
le détester...

D'ailleurs, c'est ce qu'il ressentait lui-même à
ce moment-là : il se haïssait au point de ne plus
vouloir être lui.

Sombre et abattu, il s'installa au comptoir et
réclama un verre d'alcool de riz qu'il avala d'un
trait. Il aurait voulu mourir. Il alluma une cigarette,
commanda un deuxième verre puis un troisième.

Voilà, il allait faire comme son père autrefois :
se saouler jusqu'à ne plus se relever !

D'ordinaire, Elliott ne buvait qu'un verre par-ci
par-là et le plus souvent uniquement pour faire
plaisir à Matt qui était un fin connaisseur de vin. En
tant que fils d'alcoolique, Elliott avait vécu de près
les ravages de l'alcool qui resterait toujours associé
dans son esprit aux tabassages que lui faisait subir
son père lorsqu'il perdait le contrôle de lui-même.

Mais aujourd'hui, c'était précisément ce qu'il
recherchait : perdre le contrôle, devenir quelqu'un
d'autre. Alors qu'il demandait un autre verre, le
barman chinois marqua un temps d'hésitation avant
de le servir, en comprenant bien que ce client
n'était pas dans son état normal.

— Donne-moi ça ! cria Elliott en lui arrachant

la bouteille des mains et en abandonnant un billet de dix dollars sur la table.

Il sortit dans la rue, serrant la bouteille d'alcool contre sa poitrine. Il regagna sa voiture, s'installa au volant et prit une nouvelle rasade.

— Regarde papa, je suis comme toi ! hurla-t-il avant de démarrer. Je suis comme toi !

Et ce n'était qu'un début...

*

Trouver de la drogue à San Francisco n'était pas très compliqué. À force de recevoir des toxicos à l'hôpital ou à la *Free Clinic*, Elliott avait fini par connaître leurs habitudes et les endroits qu'ils fréquentaient.

Il mit donc le cap sur Tenderloin, un quartier pas vraiment recommandable mais où il se procurerait sans mal ce qu'il recherchait. Pendant dix minutes, il sillonna les rues de ce secteur sinistré, véritable cloaque humain, avant de repérer un dealer qu'il connaissait : un Black aux allures de Jamaïcain qui se faisait appeler Yamda.

Elliott avait déjà déposé deux plaintes contre lui, car il essayait souvent de revendre sa marchandise directement dans l'enceinte de la *Free Clinic* à des malades en cure de désintox. Plusieurs fois, les deux hommes s'étaient accrochés de façon assez violente et la dernière en date, ils en étaient même venus aux mains.

Alors, c'est vrai qu'Elliott aurait pu trouver un autre revendeur – ce n'est pas ce qui manquait dans le coin – mais quand on a décidé de descendre très bas, l'humiliation fait aussi partie du jeu.

En l'apercevant, le dealer eut d'abord un air inquiet avant de comprendre qu'Elliott était là en tant que client.

— Alors Doc, on recherche le grand frisson ? fit-il en ricanant.

— Qu'est-ce que t'as à me proposer ?

— Combien tu as ?

Elliott fouilla son portefeuille : il avait soixante-dix dollars, assez pour se payer une grosse quantité de n'importe quelle saloperie.

— *Choose your poison*, proposa Yamda avec de la jubilation dans la voix : haschisch, méthédrine, LSD, héro…

★

Dans les périodes d'apaisement, on croit toujours les avoir vaincus.

On s'imagine qu'à la longue, on a fini par leur faire la peau.

Qu'on les a éloignés pour de bon.

À jamais et pour toujours.

Mais c'est rarement le cas.

Le plus souvent, nos Démons sont toujours là, tapis quelque part dans l'ombre.

Guettant inlassablement le moment où l'on baissera la garde.

Et quand l'amour s'en va...

★

Arrivé à la marina, Elliott monta les escaliers quatre à quatre, direction la salle de bains. Tout à la joie de revoir son maître, le petit labrador accourut pour lui faire fête, mais...

— Casse-toi ! cria le médecin en envoyant un coup de pied en direction du chiot, le manquant à moitié sous l'effet de l'alcool.

Rastaquouère étouffa un cri aigu et, malgré cet accueil hostile, tenta une nouvelle approche en suivant Elliott. Mal lui en prit, car ce dernier l'attrapa par la peau du cou et le mit dehors sans ménagement.

Resté seul, Elliott se claquemura dans la salle de bains et ouvrit la boîte à pharmacie pour y trouver une seringue et une aiguille. En tremblant, il sortit de sa poche les boulettes d'héroïne que lui avait vendues Yamda.

Vite, s'injecter n'importe quoi pour se faire exploser la tête. Il ne cherchait pas à planer, ni à libérer son esprit comme ces abrutis de hippies. Ce qu'il voulait, c'était une vraie défonce, un K-O cérébral. N'importe quoi pour oublier. N'importe quoi pour partir ailleurs. Un ailleurs où il ne serait plus hanté ni par son double, ni par le souvenir d'Ilena.

Un endroit où il ne serait plus lui-même.

Il plaça la boulette dans une soucoupe en verre dans laquelle il ajouta un peu d'eau. Puis, à l'aide de son briquet, il réchauffa le fond du récipient avant de filtrer le liquide avec un bout de coton. Il planta l'aiguille dans le tampon ouaté et y aspira le produit qu'il s'injecta ensuite dans une veine de l'avant-bras.

Alors qu'une onde brûlante envahissait son corps, il poussa un cri de délivrance et se sentit partir pour un voyage ténébreux vers les profondeurs de son être, prêt à affronter les aspects les plus sombres et les plus intolérables de lui-même.

★

San Francisco, 1976
Quelques heures plus tard...
Matt a *30* ans

En ce jour de Noël, Matt avait un sacré coup de blues.

Ces dernières semaines, il avait travaillé d'arrache-pied à rénover son exploitation viticole et l'affaire était maintenant sur de bons rails. Pourtant, en se levant ce matin, sa vie lui avait paru vide sans personne avec qui la partager. Mettant sa fierté dans sa poche, il avait alors décroché son téléphone pour faire ce qu'il remettait toujours à plus tard : appeler Tiffany et s'excuser pour son comportement. Malheureusement, le numéro qu'elle lui avait donné n'était plus attribué. La jeune femme avait apparemment quitté la ville sans le prévenir et sans chercher à le revoir.

Voilà ce qui arrivait quand on remettait au lendemain...

En début d'après-midi, il avait pris son roadster pour aller faire un tour à la marina. Elliott avait déjà dû s'envoler pour Hawaii, mais il en profiterait pour nourrir Rastaquouère et aller se promener avec lui sur la plage.

En arrivant sur le boulevard qui longeait la mer,

il remarqua tout de suite la Coccinelle d'Elliott garée en travers du trottoir.

Bizarre...

Il descendit de voiture et monta les quelques marches du perron. Il sonna à la porte et attendit.

Pas de réponse.

Il avait apporté avec lui le trousseau qu'Elliott lui laissait lorsqu'il partait en voyage. Il introduisit la clé dans la serrure, mais s'aperçut que la porte n'était pas verrouillée.

— Hello ! lança-t-il pour s'annoncer. Y a quelqu'un ?

En pénétrant dans la pièce et en découvrant l'air apeuré du labrador, Matt comprit tout de suite que quelque chose n'allait pas.

— T'es tout seul, Rastaquouère ?

Alors que le chien aboyait en direction de l'étage, Elliott se pointa en haut de l'escalier avec une tête de zonard défoncé.

— Qu'est-ce que tu fais là ? demanda Matt en écarquillant les yeux. T'es pas parti à Hawaii ?

— C'est plutôt à moi de te demander ce que tu fous chez moi ?

— Holà, ça va pas fort, toi, constata Matt sans relever l'attaque. Qu'est-ce qui s'est passé ?

— Tu peux pas comprendre, fit Elliott en descendant quelques marches.

— Pourquoi, je suis trop con ?

— Peut-être.

Cette fois, Matt accusa le coup. Ce côté agressif ne ressemblait pas du tout à Elliott qui, apparemment, n'était pas dans son état normal.

— Où est Ilena ?

— Y a plus d'Ilena ! C'est fini !

— Allons, qu'est-ce que tu racontes ?

— Je l'ai quittée.

Matt en resta abasourdi. C'était la dernière chose à laquelle il s'attendait.

Elliott s'effondra sur le canapé. Les effets de la drogue ne s'étaient pas encore dissipés. La tête lui tournait et il se sentait nauséeux. Un affreux mal de crâne le torturait sans répit, comme si des vrilles invisibles lui perçaient le cerveau.

— Attends, Elliott, tu ne peux pas quitter Ilena.

— Il faut croire que si.

— Cette femme, c'est toute ta vie… C'est ton repère, la meilleure chose qui te soit arrivée de toute ton existence.

— Arrête avec tes grandes phrases !

— Ces phrases, c'est toi qui les disais. Et tu disais aussi que grâce à elle, tu avais trouvé ta place.

Et c'était vrai.

— Si tu la laisses partir, tu vas passer le reste de ta vie à le regretter et à t'en vouloir.

— Lâche-moi un peu, tu veux !

— Vous vous êtes disputés ?

— Ce ne sont pas tes affaires.

— Ce sont mes affaires parce que je suis ton ami et que je ne vais pas te laisser gâcher ta vie !

— Écoute, retourne baiser tes pétasses et fous-moi la paix !

Elliott ferma les yeux, accablé par ce qu'il venait de dire. Il ne pouvait pas continuer à insulter plus longtemps son ami. Il fallait qu'il lui raconte ce qui lui arrivait et la détresse dans laquelle il se trouvait.

Sauf qu'il n'en avait pas le droit. Cela faisait partie du prix à payer : ne raconter à personne ce qui s'était passé.

Bien que les insultes d'Elliott l'aient profondément blessé, le jeune Français tenta une nouvelle fois de se montrer conciliant :

— Je ne comprends pas ce qui t'arrive Elliott, mais je sais que tu dois être très malheureux pour dire des choses pareilles. Et je crois que tu ne te sortiras pas seul de tes problèmes.

Elliott sentit son cœur se fissurer. Avec l'amour d'Ilena, l'amitié que Matt lui témoignait était ce qui comptait le plus dans sa vie. Depuis dix ans, ils se complétaient, se soutenaient, se comprenaient…

Mais aujourd'hui, Elliott se retrouvait dans une situation dont il ne pouvait sortir que tout seul. Incapable de jouer plus longtemps cette comédie à son ami, il prit alors une décision douloureuse : l'éloigner de lui comme il avait déjà éloigné Ilena.

— Tu veux me faire plaisir, Matt ?

— Oui.

— Dégage de ma vie...

Le jeune Français marqua une hésitation, comme s'il n'était pas certain d'avoir bien entendu. Puis son sang se glaça et il articula d'une voix blanche :

— Comme tu voudras.

Il baissa la tête et se dirigea vers la porte. Arrivé sur le seuil, il se retourna vers Elliott, avec le fol espoir que tout n'était peut-être pas perdu. Mais tout ce qu'Elliott trouva à lui dire fut :

— Je te laisse mes parts dans l'exploitation, mais ce n'est pas la peine de revenir me voir. Jamais.

17

> *« On n'apprend, rien simplement en lisant des livres.*
> *On n'apprend qu'en recevant des coups. »*

Swâmi PRAJNÂNPAD

San Francisco, 2006
Elliott a *60* ans

Lorsque Elliott ouvrit les yeux, il se sentit fiévreux, tremblant, comme assommé par la grippe. Mais ce n'était pas la grippe. C'était cette saloperie de cancer conjuguée aux effets secondaires du voyage dans le temps. Il se mit debout péniblement, se traîna jusqu'à la salle de bains pour vomir dans le lavabo. Il finirait par en crever, mais ce n'était pas encore pour tout de suite. Comme il en avait maintenant l'habitude, il vérifia à nouveau le nombre de pilules : encore quatre. Plusieurs fois déjà, il s'était juré qu'il n'en prendrait plus, mais là c'était certain : il ne remettrait plus jamais un pied dans le passé !

Il passa sous la douche et retrouva peu à peu ses esprits. Quelques minutes plus tôt, il avait quitté son double sur une violente altercation dans les toilettes d'un restaurant chinois. Le p'tit gars n'avait pas l'air d'aller très fort et il s'en voulait un peu de ne pas avoir trouvé les mots pour le réconforter.

Il s'habilla rapidement devant le miroir de sa chambre.

J'espère que tu ne vas pas faire de conneries, pensa-t-il en se regardant dans la glace, mais en s'adressant en fait à celui qu'il avait été plus jeune.

Il jeta un œil par la fenêtre : en cette matinée de Noël, une poignée de joggers couraient déjà le long de la plage, tandis que sur la pelouse de Marina Green, une jeune fille jouait au frisbee avec son chien.

Il prit sa voiture et malgré la fraîcheur du matin, roula vitres ouvertes, s'enivrant de l'air et du simple sentiment d'être en vie. Depuis qu'il savait que la fin était proche, il éprouvait un curieux mélange d'euphorie et d'accablement. Il était face à la mort, mais aussi face à la vérité. Pour la première fois, il parvenait à vivre pleinement le temps présent, à faire durer chaque seconde comme si c'était la dernière.

Traversant *North Beach* à bonne allure, il mit le cap sur la Coit Tower. Il était prévu qu'il retrouve Matt pour une petite sortie en bateau : une balade tranquille entre mecs autour de la baie, au cours de laquelle il avait décidé de lui révéler ce qu'il avait trop longtemps gardé pour lui : la nature de sa maladie et l'imminence de sa disparition.

Tu parles d'un cadeau de Noël...

À vrai dire, il ne savait pas très bien comment Matt allait réagir. Leur amitié qui durait depuis des lustres ne s'était jamais démentie. C'était une alchimie étrange faite d'attachement, de camaraderie et de pudeur qui prenait sa source quarante ans plus tôt lors d'un événement particulier qui resterait comme l'un des moments décisifs de sa vie.

Alors qu'il filait vers le nord de la ville, Elliott se remémora ce jour de 1965 où il avait rencontré en même temps Matt et... Ilena.

★

New York City, 1965
Elliott a *19* ans

C'est le milieu de l'hiver, en début de soirée, dans la Ville lumière. Une averse soudaine et inattendue vient de s'abattre sur Manhattan...

Les habits trempés, un jeune homme descend les escaliers qui mènent à la station de métro. Il s'appelle Elliott Cooper. Il a dix-neuf ans et ne sait pas trop quoi faire de sa vie. Il y a deux mois, il a arrêté ses études gour entreprendre un périple à travers les États-Unis. Une façon pour lui de voir du pays, de faire le point sur son avenir et de s'éloigner de son père qui vit en Californie.

Au même moment, Ilena Cruz, une jeune Brésilienne de dix-huit ans, s'en revient du zoo du Bronx où elle a trouvé un stage pour l'été qui lui permet de réaliser le rêve de sa vie : s'occuper d'animaux. Aérienne, elle traverse la rue, évitant les flaques et les voitures avant de s'engouffrer dans le métro. Sa bonne humeur en bandoulière, elle a le sourire aux lèvres.

Elliott s'arrête un moment devant un guitariste noir qui fait la manche dans le métro, reprenant avec talent le répertoire d'Otis Redding et réclamant, en ces temps de droits civiques, un peu plus de respect pour sa communauté. Elliott est fou de musique. C'est pour lui un moyen de se réfugier dans son propre univers, loin des autres. Pourquoi ne fait-il confiance à personne ? Pourquoi n'a-t-il pas de vrais amis ? Pourquoi se sent-il inutile ? Il ne le sait pas encore, mais, dans moins de cinq minutes, il va apprendre que ce sont souvent les événements qui font les hommes.

Ondoyante comme une flamme, Ilena traverse le long couloir conduisant sur le quai. La pluie a mouillé ses cheveux et son tee-shirt à fines bretelles. Parfois, pendant une fraction de seconde, quelques passants pressés se perdent malgré eux dans ses yeux verts limpides. Elle a un don pour ça : elle attire les gens et leur inspire confiance.

Il est 17 h 11 lorsque le train entre en gare. C'est un jour de semaine, à l'heure de la sortie des bureaux. L'endroit grouille de monde. Elliott se faufile le long du quai pour monter dans un wagon de tête, lorsque soudain, cette fille… Elle l'a simplement frôlé. C'est presque rien, juste un contact, un regard, une présence.
Et le monde se brouille autour de lui… Pourquoi ce vertige, cette sensation de vide qui lui envahit l'estomac ? Pourquoi cette impression que personne auparavant ne l'a jamais regardé comme ça ?

Ilena est d'abord flattée de susciter tant d'intérêt de la part d'un aussi beau gosse. Puis elle se trouble, sans trop savoir pourquoi. Elle est moite ; elle transpire. Elle remonte la bretelle qui pend le long de son bras puis détourne son regard pour échapper à l'emprise de ce garçon. Pourquoi cette impression que quelque chose de dangereux flotte dans l'air ?

Elliott s'est avancé sur le quai pour monter dans le deuxième wagon. Mais Ilena choisit le troisième. Le jeune homme hésite puis, comme attiré par un aimant, fend la foule et change de voiture juste avant que les portes ne se referment.
Le troisième wagon plutôt que le deuxième…
Voilà à quoi tient parfois une destinée : à un regard qui s'attarde, à un battement de paupières, au frôlement d'une bretelle…

Le train démarre. Elle s'est assise sur l'un des rares sièges libres et l'aperçoit à l'autre bout du wagon. Elle espère et redoute qu'il vienne lui parler. Presque douloureusement, elle sent son cœur qui cogne dans sa poitrine.

Il ne la quitte pas du regard et tente de se rapprocher de l'arrière du compartiment. Il se demande comment l'aborder, cherche quelque chose d'amusant, mais rien ne lui vient. Non, il ne va pas y arriver. Il n'a jamais été très fort à ce jeu-là. Et puis, une fille comme ça ne peut pas s'intéresser à lui. *Casse-toi Elliott, elle est trop bien pour toi. Arrête de te faire des films.* La rame s'immobilise à la première station. *Quitte ce wagon, imbécile ! T'es pas capable de jouer dans la cour des grands.* Il hésite. Le train redémarre, passe une nouvelle station puis encore une autre. Cette fois, c'est Ilena qui se lève. *Trop tard. Elle va descendre à la prochaine. Allez, tente quelque chose, mon vieux ! C'est maintenant ou jamais.*

Il bouscule une ou deux personnes pour se rapprocher. Il ne sent plus ses jambes. Sa tête est vide. Ça y est, elle est là, à quelques centimètres de lui. Il voit la courbe parfaite de ses lèvres. Alors, il se penche légèrement vers elle et lui dit :

— …

Il y eut comme une explosion dans le compartiment voisin, à quelques mètres d'eux. Une déflagration énorme, un bruit sourd d'une force

303

inimaginable, suivi d'un souffle puissant qui fit vibrer le train sur son axe et projeta tout le monde à terre.

Étrangement, il se passa un moment avant que les gens ne prennent conscience de ce qui arrivait. Un court instant de stupéfaction avant que les hurlements n'envahissent l'habitacle.

Une seconde plus tôt, c'était encore une soirée comme une autre, la journée de boulot qui s'achevait, la douce torpeur du quotidien...

Puis la rame avait déraillé au milieu d'un tunnel. La lumière s'était éteinte et tout avait volé en éclats.

Une seconde plus tôt, un garçon s'apprêtait à aborder une fille.

Puis soudain le fracas, l'épouvante et l'horreur.

Elliott et Ilena se relèvent péniblement. Le compartiment est plein d'une poussière épaisse qui brûle les yeux et gêne la respiration. Les deux jeunes gens regardent autour d'eux : les passagers sont sous le choc, les corps maculés de sang, les vêtements lacérés, les visages déformés par l'angoisse. La plus grande partie du toit s'est effondrée dans le compartiment, piégeant les voyageurs sous les décombres.

À présent, les cris de panique envahissent l'habitacle. D'une voix terrifiée, une femme hurle : « Aidez-nous, Seigneur ! » tandis que des gens se poussent pour trouver une issue. Tant bien que mal, Ilena tente de garder son calme et rassure une petite fille qui sanglote à côté d'elle.

Elliott a des débris de verre plein les cheveux, du sang sur sa chemise. Lui aussi est blessé, c'est certain, mais il ne cherche pas à savoir où. Avec l'aide des plus valides, il porte secours aux blessés coincés sous les débris de tôle. Ils parviennent à en dégager quelques-uns, mais certains ont eu le corps déchiqueté par la violence de l'explosion.

— Il faut sortir d'ici !

La phrase retentit comme un ultimatum. Et c'est vrai qu'à présent tout le monde ne pense qu'à une chose : quitter cet enfer oppressant. Mais les portes automatiques se sont tordues et restent bloquées. Finalement, les survivants n'ont pas d'autre choix que de sauter par les fenêtres.

Elliott regarde autour de lui. On n'y voit presque rien. Les flammes qui dévorent la rame donnent l'impression d'être dans un fourneau. Tout son corps ruisselle de sueur. Jamais il n'a eu aussi peur de sa vie. De plus en plus opaque, la fumée rend l'air irrespirable. Une odeur écœurante monte du sol. Une odeur que, dans les années qui vont suivre, il apprendra à reconnaître et à redouter : celle de la mort.

Il s'apprête à partir. Mais en a-t-il le droit ? Il

sait qu'il y a encore des blessés dans cette rame. Pour mieux respirer, il se met à genoux et rampe vers l'arrière du wagon. Là, il aperçoit des débris humains – un bras, une jambe, un pied dans une chaussure... – et se met à pleurer. Que peut-il faire ?

Rien.

— Viens !

C'est Ilena qui l'appelle. Elle a déjà enjambé la fenêtre et s'assure qu'il va la suivre.

Elliott se retourne. Il va lui obéir, mais revient sur ses pas. Tout près de lui, un garçon de son âge est étendu, inanimé sous les décombres du toit. Elliott se penche vers lui pour voir s'il respire encore. Il pense distinguer des battements de cœur. À vrai dire, il n'en est pas certain, mais il décide d'y croire. Avec acharnement, il tente de le dégager de ce tombeau de ferraille. Sans succès. Le jeune homme est immobilisé par une barre métallique de fer qui lui bloque le thorax.

— Viens ! répète Ilena,

Elle a raison : il y a trop de fumée, il fait trop chaud...

Pourtant, Elliott hésite puis, avec l'énergie du désespoir, fait un nouvel essai.

— Ne meurs pas ! hurle-t-il au blessé.

Toute sa vie, il se demandera comment il a

réussi à déformer la barre métallique pour dégager le garçon et le tirer vers lui. Mais ça y est, il l'a fait ! Maintenant il le soulève, le cale contre son épaule et quitte ce wagon de ténèbres.

À la suite d'Ilena, il saute le dénivelé entre la rame et la voie puis remonte le tunnel en file indienne. Devant eux, un homme, le bras arraché, marche en titubant et manque plusieurs fois de tomber. Elliott sent un liquide chaud qui ruisselle sur son visage. C'est le blessé qu'il porte sur son épaule qui se vide de son sang. Elliott ne sait pas quoi faire pour arrêter l'hémorragie. Il s'arrête quelques secondes, arrache sa chemise, la froisse en boule et, avec toute la force dont il est capable, presse ce garrot de fortune pour arrêter l'afflux de sang.

Dans sa tête, tout se mélange. Il n'a plus aucune force, comme si le type qu'il porte sur son dos pesait une tonne, mais il doit oublier sa propre douleur. Pour y arriver, il décide de fixer son esprit sur quelque chose d'apaisant.

Alors, il regarde cette fille qui marche devant lui. Ils n'ont pratiquement pas échangé le moindre mot, mais sont déjà liés par quelque chose. Il se laisse guider, persuadé qu'il ne peut rien lui arriver. Sans elle, n'aurait-il pas pris le mauvais wagon, celui où a eu lieu l'explosion ?

Au bout d'un moment, ils aperçoivent une lumière au fond du tunnel : c'est la station. Plus que quelques mètres, mais ce sont les plus difficiles. Elliott n'entend plus rien, il va s'écrouler...

C'est alors qu'un pompier s'approche et le décharge de son blessé pour l'installer sur un brancard.

Enfin délivré, il se tourne vers Ilena.

Et s'évanouit.

Au même moment, dans les entrailles étouffantes du tunnel, la rame dévastée continue de se consumer pour n'être bientôt plus qu'une carcasse fumante.

Dans l'un des wagons, au-dessus d'une banquette que la chaleur a déformée, se trouve un livre que les flammes commencent à dévorer, mais où on peut encore lire cette phrase étrange :

Vous êtes votre propre refuge
Il n'y en a pas d'autre
Vous ne pouvez pas sauver quelqu'un d'autre
Vous ne pouvez sauver que vous-même[1].

Lorsque Elliott ouvre les yeux, quelques heures plus tard, il est couché sur un lit d'hôpital. Le jour s'est levé. Un gros bandage enveloppe son épaule

1. Siddharta Gautama, dit Bouddha.

et une douleur vive irradie autour de ses cervicales. Assise à ses côtés, la fille du métro veille sur lui en silence.

— Ça va ? demande-t-elle en se penchant vers lui.

Il acquiesce et fait une tentative pour se redresser, mais le tuyau de la perfusion piqué dans son bras restreint ses mouvements.

— Ne bouge pas, je vais arranger ça.

Ilena appuie sur un bouton et la partie supérieure du lit se soulève lentement.

Fixé en hauteur dans un coin de la chambre, un poste de télévision diffuse en noir et blanc des images d'un Manhattan désorganisé avant qu'un présentateur n'apprenne à Elliott que :

« New York vient de connaître la pire panne d'électricité de son histoire. À 17 h 16, ce 9 novembre 1965, toutes les lumières se sont éteintes en Ontario et le long de la côte Est des États-Unis pour ne se rallumer qu'une dizaine d'heures plus tard. L'hypothèse d'un sabotage a rapidement été levée au profit d'une faille de transmission d'une station hydroélectrique de Niagara Falls... »

Suivent des images et un commentaire sur l'accident du métro que le journaliste attribue à la rupture de courant. Pas question de parler de bombe ou d'attentat, même si le pays traverse actuellement une période troublée : Kennedy a été assassiné deux ans plus tôt et l'été précédent, les émeutes raciales de Los Angeles ont fait des dizaines de morts. Surtout, les Américains commencent à envoyer massivement leurs troupes au Vietnam provoquant un mouvement d'opposition sur les campus où se développe un activisme étudiant qui prend parfois des formes très violentes.

Ilena tourne un bouton pour éteindre le poste.

— Il est mort ? demande Elliott au bout d'un moment.

— Qui ça ?

— Le garçon que j'ai essayé de sauver, il est mort ?

— Je crois que les médecins sont en train de l'opérer. Tu sais, explique-t-elle au bord des larmes, il était dans un sale état…

Elliott hoche la tête. Pendant un moment personne ne parle. Encore abasourdi, chacun replonge dans son monde intérieur fait de chaos et d'incompréhension.

Puis la jeune fille rompt le silence :

— Tu voulais me dire quelque chose ?

Elliott fronce les sourcils.

— Un peu avant l'explosion, précise Ilena, tu t'es penché vers moi pour me dire quelque chose…

— Eh bien… bafouille Elliott.

Les rayons de soleil qui allument doucement leurs premiers feux emplissent la chambre d'une lumière apaisante. Pendant quelques secondes irréelles, c'est comme si l'accident n'avait jamais existé. Il y a juste un garçon plein de confusion devant une fille qu'il trouve jolie.

— … Je voulais seulement te proposer d'aller prendre un café avec moi.

— Ah bon, fait-elle un peu intimidée.

Ils sont tirés de leur embarras par la voix sonore du médecin qui vient d'entrer.

— Je suis le Dr Doyle, annonce-t-il en s'approchant du lit.

Tandis que la blouse blanche l'ausculte sous toutes les coutures, Elliott constate avec regret que la jeune femme profite de cet intermède pour s'éclipser. Il doit ensuite endurer un petit discours dans lequel il capte au vol quelques expressions comme « traumatisme thoracique avec enfoncement du sternum » ou « érosion de la région bâsie cervicale ». Enfin, le médecin termine sa visite par l'application d'une pommade anti-inflammatoire et la pose d'une minerve.

Avant qu'il ne quitte la pièce, Elliott lui demande des nouvelles d'un garçon de son âge qui a été amené en même temps que lui. Il apprend alors que l'opération vient de se terminer, mais qu'il faut maintenant « attendre le réveil du patient pour émettre un pronostic ».

Une phrase que quelques années plus tard, il prononcera lui-même à de nombreuses reprises...

Seul dans sa chambre, Elliott reste prostré dans son lit jusqu'à ce que la porte s'ouvre légèrement et qu'un joli visage apparaisse dans l'entrebâillement.

— C'est d'accord, annonce Ilena.

— Quoi ?

— Pour le café, c'est d'accord, dit-elle en brandissant deux gobelets en carton.

Tout sourire, le jeune homme attrape le breuvage qu'on lui tend.

— Au fait, je m'appelle Elliott.

— Et moi, c'est Ilena.

Ce jour-là, au sixième étage d'un hôpital, au cœur de l'hiver de Manhattan, deux petites silhouettes que le destin venait de réunir discutèrent jusqu'à très tard dans la nuit.

Ils se revoient le lendemain, puis les jours suivants, se promènent dans les rues de la ville, piqueniquent dans Central Park et écument les musées. Chaque soir, ils retournent à l'hôpital pour prendre des nouvelles du blessé qui est toujours dans le coma.

Et puis, il y aura ce baiser échangé sous la pluie en sortant de l'*Amsterdam Café* où ils se sont arrêtés pour prendre une tasse de chocolat amer et un *cheese-cake* à la cannelle.

Ce baiser qui changera tout.

Car, jamais Elliott n'aura été plus heureux qu'avec cette drôle de fille, positive et bohème, qui refaisait le monde en mangeant sa pizza.

Et jamais Ilena ne se sera sentie plus belle qu'à travers le regard de ce garçon mystérieux et attachant que le destin avait mis sur sa route d'une si étrange façon.

L'après-midi, ils passent des heures à discuter dans le parc immense qui s'étend au milieu des gratte-ciel.

C'est là qu'ils apprennent à se connaître.

Elle lui parle de ses études en biologie et de son ambition de devenir vétérinaire. Lui aussi s'intéresse aux mathématiques et aux sciences. Elle veut savoir pourquoi il a arrêté ses études malgré ses bons résultats. C'est vrai qu'il est brillant, mais il affirme n'y être pour rien. C'est juste des facilités, juste le chiffre 166 attribué à son QI.

Alors qu'Ilena lui demande ses projets d'avenir et qu'il ne sait pas quoi répondre, elle devine son manque de confiance en lui et une trop grande sensibilité qui le fait souvent se replier sur lui-même.

Alors, un jour, sans avoir l'air d'y toucher, elle

lui posera la question : « Pourquoi est-ce que tu ne deviens pas médecin ? » Il fera d'abord celui qui n'a pas entendu puis, comme elle insistera, il haussera les épaules.

Pourtant, la question restera là, au creux de sa tête, jusqu'à ce fameux soir où, à l'hôpital, on lui annoncera que le garçon qu'il a sauvé est sorti du coma et qu'il désire le voir.

Elliott entre dans la chambre et s'approche du lit.

Le garçon qui s'y trouve est un Français. Malgré les dix jours passés dans le coma, il a les yeux rieurs, une bouille joviale et un sourire gentiment ironique.

— Alors, c'est toi mon sauveur ! plaisante-t-il avec un léger accent.

— Faut croire, répond Elliott.

Ils n'ont pas encore échangé trois mots qu'un courant de sympathie s'est déjà installé.

— Maintenant, tu vas m'avoir tout le temps sur le dos, lui annonce le Français.

— Vraiment ?

— Jusqu'à ce que je te rende la pareille et qu'à mon tour, j'ai l'occasion de te sauver la vie…

Elliott sourit. Par la joie de vivre qu'il dégage, l'autre garçon lui a plu immédiatement. Devinant en lui à la fois son contraire et son parfait complément, il lui tend la main pour se présenter :

— Je m'appelle Elliott Cooper.

— Je suis Matt Delluca.

Plus tard, lorsqu'il repensera à cette période, Elliott se rendra compte à quel point elle a changé sa vie à tout jamais.

Un matin, pour suivre une fille dans le métro, il était monté dans un wagon au lieu d'un autre.

Ce choix lui avait sauvé la vie et permis de trouver...

... un amour,

un ami

et une vocation.

En l'espace de quelques jours, cette année-là, il était devenu un homme.

★

San Francisco, 2006
Elliott a *60* ans

Encore bercé par les souvenirs du passé, Elliott se gara au sommet de Telegraph Hill avant de s'engager à pied dans Filbert's Steps. Il descendit la volée de marches fleuries jusqu'à l'élégante garçonnière art déco. Il poussa la barrière qui donnait sur le jardin et comme la fenêtre était entr'ouverte, lança en toquant contre le volet :

— C'est moi Matt ! Je t'attends dehors.

Assez rapidement, Matt ouvrit la porte d'entrée et écarquilla les yeux.

— Elliott ?

— Grouille-toi, mon vieux, il faut qu'on s'arrête *Chez Francis* pour acheter des sandwiches. Si on tarde trop, il ne restera plus de *paniers gourmands* et tu râleras parce qu'on n'aura rien de bon à manger.

— Qu'est-ce que tu fais là ?

— Ce n'est pas aujourd'hui qu'on devait sortir le bateau ?

— Quel bateau ?

— Celui du pape !

— Qu'est-ce que c'est que cette histoire ?

— Mais enfin, tu as laissé un message sur mon répondeur hier soir pour me proposer d'aller faire…

Matt lui coupa la parole :

— Arrête Elliott ! Je ne t'ai laissé aucun message pour la bonne et simple raison qu'on ne s'est pas reparlé depuis trente ans !

Cette fois, ce fut au tour d'Elliott d'ouvrir des yeux ronds et de rester interdit.

Son regard chercha celui de Matt et il eut la certitude que ce dernier ne plaisantait pas.

— Écoute, reprit Matt, je ne sais pas trop à quoi tu joues, mais je n'ai pas de temps à perdre aujourd'hui. Alors, tu m'excuseras, mais…

— Attends Matt, attends ! Tu es mon ami ! On se parle tous les jours au téléphone et on se voit plusieurs fois par semaine !

Le Français plissa les yeux, comme pour se souvenir de quelque chose de lointain.

— On était amis, c'est vrai, mais c'était il y a longtemps…

Il allait refermer sa porte lorsque le médecin lui demanda dans une supplique :

— Que nous est-il arrivé ? On s'est disputé ?

— Tu déconnes ou quoi ? Ne fais pas celui qui a tout oublié !

— Rappelle-moi ce qui s'est passé.

Matt sembla hésiter puis :

— C'était il y a trente ans. Tout allait bien dans nos vies jusqu'au jour où tu as commencé à perdre les pédales.

— Comment ça ?

— Tu t'es mis à raconter des trucs bizarres à propos d'un type qui avait trouvé un moyen de voyager dans le temps et qui serait toi mais en plus vieux… Bref, tu n'étais pas dans ton état normal. J'ai fait ce que j'ai pu pour t'aider jusqu'au jour où tu as dépassé les bornes.

— C'était quand Matt ? C'était quand précisément ?

— Le jour de Noël justement, se rappela soudain

le Français, troublé par ce parallèle. Je m'en souviens parce que c'est aussi le jour où tu as rompu avec Ilena...

Trente ans, jour pour jour...

— Pendant longtemps, j'ai tout essayé pour qu'on se réconcilie, Elliott, mais tu t'es employé à construire un mur entre nous. Et puis, *après ce qui est arrivé à Ilena*, les choses n'auraient plus été pareilles.

— Qu'est-il arrivé à Ilena ?

Un voile de tristesse tomba soudain sur le visage de Matt qui dit d'une voix sans appel :

— Va-t'en Elliott !

Avant de claquer la porte.

★

Elliott eut du mal à retrouver ses esprits. Sonné, il regagna sa voiture à petits pas. Visiblement, le Elliott de 1976 s'était brouillé avec Matt et c'est lui qui en payait aujourd'hui les pots cassés.

Mais comment expliquer alors qu'il ait des tonnes de souvenirs avec Matt ? Tout ce qu'ils avaient vécu ensemble de 1976 à aujourd'hui n'avait tout de même pas existé que dans sa tête ?

Elliott s'accouda contre sa voiture et se prit la tête dans les mains.

Et s'il existait plusieurs *lignes de temps* ?

Il avait entendu parler de cette hypothèse des « univers multiples » qui agitait le milieu des scientifiques. Selon certains physiciens, chaque chose qui *peut* se produire *va* se produire dans un certain univers. Si je lance une pièce en l'air, il y a un univers dans lequel elle retombe sur pile et un autre dans lequel elle retombe sur face. Je joue au loto : il existe un univers où je gagne et des millions d'autres où je perds ! À partir de là, l'univers que nous connaissons ne serait qu'un parmi une infinité d'autres. Il existe un univers où le 11 septembre n'a jamais eu lieu, un où George Bush n'est pas Président des États-Unis, un où le mur de Berlin est encore debout.

Un univers où il s'est disputé avec Matt trente ans plus tôt et un autre où ils sont toujours amis…

Le problème c'est que son aller-retour passé-futur l'avait fait atterrir sur une ligne de temps où les événements ne correspondaient pas aux souvenirs qu'il en avait !

Malheureusement, pour l'instant, il n'avait pas d'autre choix que de faire avec.

Il s'installa au volant de la Coccinelle et prit la direction de l'hôpital.

Une chose importante le tourmentait : il fallait qu'il trouve ce qui était arrivé à Ilena.

18

> *Ce qu'on appelle une raison de vivre est en même temps une excellente raison de mourir.*

> Albert CAMUS

San Francisco, 25 décembre 1976
Ilena a *30* ans
16 h 48

Très haut dans le ciel, au cœur de la brume et du vent, un oiseau au plumage argenté transperce les nuages pour descendre vers San Francisco. Filant comme une flèche, il survole Alcatraz et *Treasure Island* avant de se poser sur l'une des deux tours du Golden Gate. Immense et élégant, le célèbre pont enjambe la baie sur deux kilomètres jusqu'à Sausalito. Ses piliers démesurés, solidement ancrés dans le Pacifique, ne redoutent ni les courants glacés ni l'épais brouillard qui s'enroule comme du lierre autour de leur structure au métal flamboyant.

Juché au-dessus des flots, l'oiseau baisse la tête vers le vide pour contempler la vie des hommes qui s'agitent deux cents mètres plus bas.

Sur le pont, les voitures se croisent et se doublent dans un ballet incessant organisé autour des six voies de circulation ouvertes au trafic. Tout n'est que bruit assourdissant, klaxons et tôles qui vibrent.

Soudain, dans l'allée réservée aux piétons, une femme s'avance, fragile, comme une funambule marchant sur un fil.

Prête à tomber.

Ilena ne saurait expliquer ce qu'elle est venue faire ici. Elle s'est juste sentie incapable de prendre son avion pour rentrer en Floride. Alors, elle a demandé au taxi de faire demi-tour et de la ramener en ville. Puis, comme il fallait bien aller quelque part, elle s'est laissée guider par ses pas et ses pas l'ont portée jusqu'ici.

Elle est au bord du gouffre, prisonnière d'une souffrance intolérable qu'elle ne soupçonnait même pas. Tout le monde la croit forte, solide et bien dans sa tête, mais cette image, c'est juste pour donner le change. La vérité, c'est qu'elle est vulnérable, désarmée, à la merci d'une simple petite phrase – « *Je ne t'aime plus Ilena* » – qui, en moins de temps qu'il ne faut pour la dire, lui a fait perdre tous ses repères, lui ôtant sa force et son envie de vivre.

Elle se rapproche de la rambarde de sécurité pour regarder l'océan. La vue est enivrante et donne le vertige. Le vent souffle en tourbillons, les vagues se fracassent projetant une écume qui donne l'impression que la mer est en train de bouillir. Elliott était toute sa vie. Que va-t-elle devenir sans lui ?

Ilena se sent faible, perdue. La douleur qui la submerge est trop forte, impossible à étouffer. Soudain, continuer à vivre lui fait plus peur que la mort. Elle comprend alors pourquoi ses pas l'ont guidée jusqu'ici.

Et se précipite dans le vide.

*

La chute depuis le haut du Golden Gâte prend quatre secondes.

Quatre secondes pour un ultime voyage.

Quatre secondes, véritable no man's land entre deux mondes.

Quatre secondes où l'on n'est plus tout à fait en vie...

... et pas encore tout à fait mort.

Quatre secondes dans le vide.

Geste de liberté ou de folie ?

De courage ou bien de faiblesse ?

Quatre secondes au bout desquelles on heurte l'eau à la vitesse de 120 km/h.

Quatre secondes au bout desquelles...

... on meurt.

*

San Francisco, 25 décembre 1976
Elliott a *30* ans
17 h 31

La nuit tombe vite en hiver.

Déjà, l'après-midi n'est plus qu'un souvenir. À travers la ville, les lumières s'allument les unes après les autres tandis qu'un croissant de lune profite d'une trouée de ciel pour faire une timide apparition.

Fenêtres ouvertes, Elliott roule le long de l'*Embarcadero*, la grande avenue qui parcourt le front de mer. Après ce qu'il a vécu aujourd'hui, il ne se sent pas le courage de passer la nuit tout seul, cloîtré dans sa maison de verre. Il a peur de devenir fou, peur de ce qu'il pourrait faire...

Alors, il file comme le vent, se laissant guider par les lumières qui le portent à travers le quartier des affaires où la *Transamerica Pyramid*, nouveau gratte-ciel en forme de flèche, brille de mille feux. Désemparé, il pense à Ilena qui doit être dans son avion. Comment va-t-elle réagir à cette rupture ? Il essaie de se faire croire que pour elle les choses ne seront pas si difficiles, qu'elle trouvera sans mal un homme qui saura l'aimer mieux que lui, mais en même temps, cette dernière éventualité lui est insupportable.

Il enchaîne les virages pour finalement se retrouver sur le parking de l'hôpital. Il a perdu l'amour, il a perdu l'amitié. Il ne lui reste plus que son travail. Bien sûr, il n'est pas question d'opérer aujourd'hui ni même de prendre en charge des patients, car les effets de l'alcool et de la drogue ne se sont pas encore dissipés. Mais il a besoin de se retrouver dans un environnement familier et celui-là est le seul qu'il connaisse.

Il se gare à son emplacement habituel et sort dans la nuit au moment où, toutes sirènes hurlantes, une ambulance entre en trombe dans le parking pour s'arrêter devant la porte des urgences. Guidé par la force de l'habitude, Elliott ne peut s'empêcher d'aller prêter main forte aux ambulanciers : Martinez et Pike de l'unité 21 avec lesquels il a déjà travaillé. Il remarque le visage blême des deux infirmiers, marqués par la gravité des blessures de leur patient.

— Qu'est-ce qu'on a, Martinez ?

Le jeune Latino pense qu'il est de garde et annonce :

— Jeune femme de trente ans, dans le coma, polytraumatisée. Elle s'est jetée du Golden Gate il y a une demi-heure...

— Elle a survécu ?

— Pas pour longtemps si tu veux mon avis...

La jeune femme a déjà été intubée. On lui a posé les voies veineuses ainsi qu'un collier cervical qui cache une partie de son visage.

Elliott aide les deux hommes à décharger la civière.

Puis il se penche vers la blessée.

Et la reconnaît.

★

San Francisco, 2006
Elliott a *60* ans

Encore sous le coup de son altercation avec Matt, Elliott conduisait sans se concentrer sur la route ni sans trop savoir où aller.

Qu'avait voulu dire son ami par : « *Après ce qui est arrivé à Ilena* » ? Faisait-il simplement référence à leur rupture ou à quelque chose de plus grave ? Elliott essaya de mettre de l'ordre dans son esprit. Lors de son dernier voyage dans le passé, au matin du 25 décembre 1976, lui et son double avaient réussi à éviter l'accident avec l'orque qui aurait dû coûter la vie à la jeune femme. Ilena était donc bien en vie.

Pourquoi alors ce ton désespéré qu'il avait perçu dans la voix de Matt ? Il freina brutalement et gara la Coccinelle devant une bouche à incendie le long de Washington Park. En déambulant sur les trottoirs de *North Beach*, il trouva un cybercafé où il commanda un cappuccino pour avoir le droit de se poser devant l'un des écrans.

En quelques clics de souris, il se rendit sur le site d'un annuaire en ligne et entreprit de formuler une requête. Il tapa donc « Ilena Cruz » dans la case correspondante.

La ligne suivante se mit à clignoter. Elle demandait de rentrer la ville. Il tapa « San Francisco » puis lança la recherche.

Pas de réponse.

Il étendit la demande à toute la Californie puis à d'autres États.

Pas de réponse.

L'Ilena de 2006 était sans doute sur liste rouge. Ou elle n'habitait plus sur la côte ouest. Ou elle avait changé de nom…

Sans se décourager, Elliott tapa « Ilena Cruz » sur Google. Une seule réponse… Il cliqua sur le lien. C'était un site universitaire consacré à la pratique de la médecine vétérinaire sur les mammifères marins. Le site rappelait que dans les années soixante-dix, Ilena avait été l'une des pionnières dans la pratique d'interventions devenues aujourd'hui routinières. L'article détaillait comme exemple la première anesthésie mondiale sur un lamantin réalisée par la jeune femme en 1973. Près de son nom, un chiffre renvoyait à une note biographique en bas de page. La main tremblante, Elliott cliqua sur le lien et découvrit avec horreur les dates de naissance et de mort d'Ilena : 1947-1976 !

Sans plus d'explication.

Le regard scotché à l'écran, il essaya de comprendre.

Si Ilena était encore en vie le 25 décembre 1976 et que le site indiquait néanmoins son décès pour cette même année, c'est donc que sa mort était survenue *dans les six derniers jours de 1976*. Mais quand ? Comment ? Pourquoi ?

Il sortit du cybercafé et regagna sa voiture en toute hâte.

Consulter les journaux de l'époque !

Voilà ce qu'il devait faire en priorité. Il déboîta sans mettre son clignotant et manqua d'être percuté par une Lexus qui arrivait en sens inverse. Après un demi-tour hasardeux, il prit la direction du City Hall où se trouvait le siège du *San Francisco Chronicle*.

Là, il chercha à se garer pendant vingt minutes, mais comme il fallait s'en douter, le nombre de places à cette heure de la journée était inférieur à zéro. De guerre lasse, Elliott abandonna sa voiture en double file, devinant qu'elle ne serait plus là quand il reviendrait. Il pénétra essoufflé dans l'immeuble de verre qui abritait les bureaux du célèbre journal et expliqua qu'il voulait consulter les archives de 1976. La jeune femme de l'accueil lui tendit un formulaire à remplir tout en lui expliquant que sa demande ne pourrait pas être satisfaite avant plusieurs jours.

— Plusieurs jours ! gronda Elliott.

Elle lui répondit « jour férié », « sous-effectif », « microfilm », « année restant à numériser » …

Il sortit un billet de cent dollars ; elle prit un air outré ; il en ajouta deux autres ; elle dit : « Je vais voir ce que je peux faire ».

Et un quart d'heure plus tard, il était devant une visionneuse à faire défiler les pages du *San Francisco Chronicle* des derniers jours de 1976. Comme il ne trouvait rien dans les gros titres, il éplucha les faits divers et, dans l'édition du 26 décembre, tomba sur un petit encart qu'il relut plusieurs fois, avant d'en saisir toute la portée.

Nouvelle tentative
de suicide au Golden Gate

Hier après-midi une jeune femme s'est jetée du haut du Golden Gate Bridge au niveau de la rambarde n° 69. Il s'agit d'Ilena Cruz, vétérinaire originaire de Floride. Selon certains témoins, elle aurait heurté la surface de l'eau les pieds en avant. Repêchée par une navette de la police maritime, mais souffrant de nombreuses fractures et blessures internes, elle a été conduite à l'hôpital Lenox où son état est jugé «très grave» par les médecins.

Une boule s'était formée dans l'estomac d'Elliott et pendant plusieurs minutes, il resta immobile sur sa chaise, effondré par le sale coup que venait de lui jouer le destin. Puis il consulta le journal du lendemain, sachant par avance ce qu'il y trouverait.

Pas de miracle
pour la suicidée
du Golden Gate

Il n'y a pas eu de miracle à l'hôpital *Lenox*. Ilena Cruz, la jeune femme

qui s'était jetée avant-hier du haut du
Golden Gate est décédée dans la soirée
des suites d'importantes lésions internes
(voir notre édition d'hier).
Ce nouveau décès relance le débat autour
de la nécessité d'installer sur le pont
une barrière de sécurité, mesure à
laquelle s'est toujours refusé le Conseil
du Golden Gate.

Il ressortit de l'immeuble, anéanti. Sa voiture
était restée plus d'une heure garée en double file
sans recevoir la visite de la fourrière. Maigre conso-
lation. Il s'installa derrière le volant et mit le cap
vers l'hôpital Lenox.

Il avait une dernière chose à vérifier.

★

San Francisco, 25 décembre 1976
Elliott a *30* ans
20 h 23

Dévoré par l'anxiété, Elliott attendait qu'Ilena
sorte du bloc opératoire. Comme il n'était pas de
service, on n'avait pas voulu que ce soit lui qui
l'opère. Et comme il avait pris cette saloperie d'héroïne, il n'avait pas insisté.

Le bilan médical était catastrophique : fractures des deux jambes et des deux pieds, luxation de la hanche et de l'épaule, traumatisme de la paroi thoracique... Le choc avait été si violent qu'il avait aussi brisé le bassin, provoquant des lésions aux organes dépendants. On redoutait des dommages au niveau des reins et de la rate, tandis qu'un saignement vaginal laissait suspecter une rupture de l'intestin ou de l'appareil urinaire.

Il ne tenait pas en place, faisait les cent pas avant de revenir se poster derrière les portes vitrées qui le séparaient de la salle d'opération. Il en avait déjà vu suffisamment pour ne pas se bercer d'illusions.

Lui-même intervenait souvent lors des poly-traumas[1] et il fallait être réaliste : à ce stade, les chances de mortalité étaient plus élevées que les chances de survie. Sans compter qu'un accident comme celui-là occasionnait souvent des lésions à la colonne vertébrale et à la moelle épinière. Le genre de blessures qui vous laissent volontiers paraplégique ou hémiplégique...

L'espace d'un instant, l'image d'une Ilena paralysée des quatre membres, se traînant dans un fauteuil roulant, traversa son esprit et se superposa à

---

1. Polytraumatisé : personne qui présente plusieurs lésions trau-matiques, survenues au cours d'un même accident.

celle, aquatique, de la jeune femme qui hier encore plongeait et nageait aux côtés des dauphins.

Tout ça, c'était à cause de lui ! Avec son double, ils avaient cru sauver Ilena, mais ils n'avaient réussi qu'à retarder l'échéance de quelques heures. Au lieu de mourir noyée par une orque, elle se suicidait en se jetant d'un pont. La belle affaire !

Ils avaient tenté de défier le destin, mais le destin était le plus fort.

★

San Francisco, 25 décembre 2006
Elliott a *60* ans
22 h 59

La pluie s'abattait en cataractes sur l'hôpital Lenox.

Au troisième sous-sol du bâtiment, à la lumière d'un néon grésillant, Elliott épluchait des archives vieilles de trente ans, à la recherche du dossier médical d'Ilena.

La salle était quadrillée d'étagères métalliques qui ployaient sous le poids des cartons. À une lointaine époque, tous ces documents avaient dû être classés selon un ordre bien précis, mais aujourd'hui la pièce entière n'était qu'un gigantesque foutoir.

Les mois, les années, les services : tout était mélangé, désordonné, éparpillé.

Tout en ouvrant frénétiquement chaque carton et chaque dossier, Elliott essayait de donner un sens à ce qu'il avait vécu depuis trois mois. Au début, il avait cru naïvement qu'il pourrait changer le destin et le destin s'était rappelé à son bon souvenir. Car il fallait bien se rendre à l'évidence : le libre arbitre, la capacité d'influer sur sa destinée, tout ça n'était qu'une illusion. La vérité, c'est que nos existences sont programmées et qu'il est vain de lutter contre. Certains événements sont imparables et l'heure de la mort en fait partie. Le futur ne se crée pas au fur et à mesure. Pour l'essentiel, la route est déjà tracée et il n'y a pas d'autre solution que de la suivre. Tout forme un bloc – le passé, le présent, le futur – qui répond au nom affreux de fatalité.

Mais si tout est déjà écrit, qui tient le stylo ? Une puissance supérieure ? Un Dieu ? Mais pour nous mener où ?

Sachant très bien qu'il n'aurait jamais la réponse à cette question, il se concentra sur ses recherches et au bout d'une bonne heure finit par mettre la main sur ce qu'il cherchait.

Le dossier d'admission d'Ilena n'avait pas disparu, mais les marques du temps avaient rendu son contenu presque illisible. Les caractères d'imprimerie étaient délavés et l'humidité avait collé certaines pages entre elles. Avec fébrilité, Elliott approcha les feuilles du tube de néon et parvint à déchiffrer l'essentiel du document.

Les blessures d'Ilena étaient encore plus atroces que ce qu'il avait imaginé, mais contrairement à ce qu'il avait lu dans le journal, Ilena n'était pas morte de multiples lésions internes, mais des suites d'une opération pour retirer en urgence un hématome au cerveau.

Il regarda le nom du médecin qui l'avait opérée : Dr Mitchell.

Il se souvenait de lui : Roger Mitchell était un chirurgien compétent, mais...

Pourquoi n'ai-je pas réalisé l'intervention moi-même ?

Il s'étonna également de l'absence d'un rapport de scanner. D'après les indications, il arriva à reconstituer ce qui avait dû se passer. Aux alentours de quatre heures du matin, une infirmière avait signalé une inégalité pupillaire trahissant la présence d'un hématome. On avait opéré en urgence, mais sans succès.

L'hématome était profond et mal localisé, compliqué par la présence d'une plaie d'un sinus veineux, non prévisible sans scanner. Une opération très délicate réalisée chez une patiente en détresse respiratoire avec un Glasgow bas.

Même le meilleur chirurgien ne l'aurait pas sauvée.

Sauf peut-être en anticipant l'opération...

Une dernière information retint son attention : l'heure du décès.

04 h 26 du matin.

Il ne put s'empêcher de regarder sa montre.

Il n'était pas encore minuit.

★

San Francisco, 26 décembre 1976
Elliott a *30* ans
00 h 23

— J'ai enlevé la rate et recousu une partie de l'intestin, expliqua le Dr Roger Mitchell à son jeune collègue.

Pour la première fois, Elliott se retrouvait, avec angoisse, de l'autre côté : celui des patients et de leur famille.

— Les reins ? demanda-t-il.

— Ça peut aller. Par contre, je suis inquiet pour le système respiratoire : plusieurs côtes adjacentes sont fracturées au moins à deux endroits.

Elliott savait ce que ça signifiait. Un segment de la paroi thoracique n'était plus en continuité avec le thorax, augmentant les risques de pneumothorax, d'hémothorax et de détresse respiratoire.

— Des lésions rachidiennes ?

— Trop tôt pour le dire. Peut-être au niveau du rachis dorsal... Comme tu le sais, à ce niveau c'est la loi du tout ou rien : ça peut être bénin...

— ... comme ça peut aboutir à une paraplégie définitive, termina Elliott.

Mitchell fit une petite moue.

— Il faut attendre. Pour l'instant, on ne peut plus faire grand-chose.

— Tu ne l'emmènes pas au scan ?

— Pas ce soir, on a un problème avec le logiciel : le programme plante sans arrêt depuis ce matin.

— Bordel de merde ! cria Elliott en abattant son poing contre la porte.

— Calme-toi. On l'a mise en surveillance serrée. Une infirmière passera tous les quarts d'heure. Et de toute façon...

Il allait dire quelque chose puis se ravisa.

— De toute façon ? demanda Elliott pour le forcer à terminer sa phrase.

— La seule chose que nous puissions faire à ce stade, c'est prier. Prier pour qu'on n'ait pas à la rouvrir trop tôt, parce que dans son état elle ne tiendra pas le coup.

★

San Francisco, 26 décembre 2006
Elliott a *60* ans
01 h 33

Elliott remonta à l'étage, serrant contre sa poitrine le vieux dossier médical d'Ilena. Même s'il n'opérait plus depuis deux mois, il restait administrateur de l'hôpital ce qui lui donnait le droit de conserver son bureau. L'éclairage s'alluma automatiquement dès qu'il poussa la porte. Il se planta immobile, debout face à la fenêtre, contemplant les trombes d'eau qui n'en finissaient pas de s'abattre sur la ville.

Puis il arpenta la pièce, l'esprit tourmenté, se demandant s'il pouvait encore faire quelque chose. Il parcourut une nouvelle fois le dossier médical d'Ilena avant de le reposer sur sa table de travail à côté d'un jeu d'échecs en marbre au design épuré. Pensif, il s'empara de deux pièces de l'échiquier : un fou de forme conique et une tour cylindrique.

Le cône et le cylindre…

Ça lui rappelait une fable qu'il avait étudiée pendant ses études.

Il posa le cône à plat sur le bureau et lui imprima une impulsion : le solide tournoya sur lui-même. Il imprima la même impulsion au cylindre : celui-ci roula sur la table et finit par se briser sur le sol.

Les deux pièces avaient subi le même choc, mais suivi des trajectoires différentes. Morale de l'histoire : les gens réagissent différemment au même coup du sort. Même si je n'échappe pas à mon destin, je reste maître de la façon d'y faire face.

Revigoré par cette idée, Elliott mit la main dans sa poche pour s'emparer du flacon de pilules.

Il avait vécu une journée éprouvante et elle était loin d'être terminée. Pourtant, il se sentait à présent étonnamment calme.

Car un homme n'est jamais aussi fort que lorsqu'il mène son dernier combat.

19

Septième & huitième rencontres

Si jeunesse savait...
Si vieillesse pouvait...

San Francisco, 26 décembre 1976
Elliott a *30* ans
02 h 01

L'hôpital s'était assoupi, bercé par le bruit de la pluie.

Ilena reposait, les yeux clos, dans la pénombre d'une petite chambre. Au-dessus d'elle, un enchevêtrement de perfusions et dans sa bouche, le tuyau d'un respirateur artificiel.

Assis à ses côtés, Elliott remonta légèrement le

drap comme s'il avait peur qu'elle ne prît froid. Bouleversé, il avança une main tremblante vers le visage de la jeune femme. Lorsque leurs deux peaux s'effleurèrent, il crut que des lames de rasoir se mettaient à pousser dans son cœur.

Derrière les traits tuméfiés et les lèvres cyanosées, il sentait une vie qui luttait pour ne pas s'éteindre.

Une vie ne tenant qu'à un fil.

Prête à se rompre à tout moment.

★

La porte de la chambre s'ouvrit doucement. Elliott se retourna, pensant avoir affaire à l'infirmière d'étage.

Mais ce n'était pas elle.

— Il faut l'opérer ! annonça son double d'un ton qui n'admettait guère de contestation.

Elliott se leva d'un bond.

— L'opérer de quoi ?

— Un hématome extradural au cerveau.

Affolé, le jeune médecin souleva les paupières d'Ilena, mais aucune inégalité pupillaire ne trahissait la présence d'un hématome.

— D'où tenez-vous ça ?

— D'un rapport de décès. Et si tu avais fait un scan, tu le saurais toi aussi…

— Doucement, se défendit Elliott, on n'est qu'en 1976. Les appareils en panne, les logiciels qui plantent une fois sur deux, ça ne vous rappelle rien ?

L'autre ne prit pas le temps de répondre, concentré qu'il était sur l'examen de l'électrocardiogramme.

— Demande qu'on prépare un bloc, vite ! dit-il en désignant un téléphone mural.

— Attendez, elle a plusieurs lésions thoraciques : si on l'ouvre tout de suite, elle risque de mourir.

— Oui, et si on ne l'ouvre pas, le risque devient certitude.

Elliott considéra l'argument avant d'émettre une nouvelle réserve :

— Mitchell n'opérera jamais Ilena sur une simple intuition.

L'autre haussa les épaules :

— Si tu crois que je vais laisser opérer Mitchell…

— Qui alors ?

— Moi.

Elliott était d'accord pour s'inclure dans le « moi », mais il restait un problème :

— On ne peut pas faire l'opération à deux ! Il nous faut au moins un anesthésiste et une infirmière.

— Qui est l'anesthésiste de garde ?

— Samantha Ryan, je crois.

Le vieux médecin hocha la tête et regarda l'horloge murale.

— Rendez-vous au bloc dans dix minutes ! dit-il en quittant la pièce. Tu prépares Ilena pour l'opération, moi je m'occupe de Ryan.

*

Elliott, soixante ans, déboula dans le grand hall presque vide où flottait une forte odeur d'éther. Pour passer inaperçu, il s'était débarrassé de sa veste au profit d'une blouse blanche. Il connaissait l'hôpital comme sa poche et n'eut aucun mal à trouver la salle de repos où s'était réfugiée Samantha Ryan.

— Salut Sam, fit-il en allumant la lumière.

Habituée au sommeil haché des gardes de nuit, la jeune femme se leva d'un bond et porta la main devant ses yeux pour se protéger de l'éblouissement. Bien que la tête de cet homme ne lui fût pas inconnue, elle était incapable de mettre un nom sur son visage.

Elliott lui tendit un gobelet de café qu'elle accepta tout en repoussant quelques mèches rebelles qui lui tombaient sur le visage.

C'était une fille atypique : trente ans, d'origine irlandaise, homosexuelle et catholique pratiquante. Elle travaillait à l'hôpital depuis deux ans, après avoir coupé les ponts avec sa famille qui vivait à New York où son père et ses frères étaient des piliers du NYPD.

Au cours des prochaines années, Elliott et elle deviendraient bons amis, mais à l'époque Samantha était solitaire, introvertie et mal dans sa peau. On ne lui connaissait aucun ami au sein de l'hôpital où ses collègues l'avaient surnommée *l'autiste*.

— J'ai besoin de vous pour une opération, Sam.

— Tout de suite ?

— Tout de suite. Un hématome sous-dural à évacuer sur une patiente en détresse respiratoire.

— La suicidée ? fit-elle en buvant une gorgée de café.

— Exact.

— Elle ne va pas s'en tirer, annonça-t-elle calmement.

— Ça, c'est l'avenir qui le dira, rétorqua Elliott.

Elle déplia un papier aluminium qui contenait quelques biscuits Oreo.

— Qui opère ? demanda-t-elle en trempant un cookie dans son breuvage.

— Moi.

— Et vous êtes qui, au juste ?

— Quelqu'un qui vous connaît.

Le regard de la jeune femme croisa celui du médecin et, pendant un moment, elle fut déstabilisée, avec cette impression fugace que l'homme lisait en elle comme dans un livre…

— Il faut faire vite, affirma Elliott.

Samantha secoua la tête :

— C'est Mitchell, le titulaire. Pas question que je fasse une opération sauvage, je vais me faire virer.

— Il y a des risques, admit Elliott. Pourtant, vous allez m'aider...

— Je ne vous dois rien, dit-elle en haussant les épaules.

— À moi non, mais vous devez quelque chose à Sarah Leeves...

Il laissa sa phrase en suspens et elle le regarda, paniquée. Sarah Leeves était une prostituée paumée qui avait franchi le seuil de l'hôpital deux ans plus tôt après avoir été tabassée et s'être pris quelques coups de couteau. On l'avait opérée en urgence, mais elle n'avait pas survécu.

— Vous débutiez dans cet hôpital et c'est vous qui étiez de service, rappela Elliott. Vous êtes une bonne anesthésiste, Sam, l'une des meilleures, mais ce soir-là, vous avez sacrément merdé...

Samantha ferma les yeux et pour la millième fois, repassa la scène dans son esprit : une mauvaise manipulation, deux produits que l'on confond, une erreur de débutante et cette pauvre femme qui ne se réveille pas.

— Vous avez été assez habile pour maquiller votre erreur, reconnut Elliott, et il faut bien admettre que la mort de cette prostituée n'intéressait pas grand-monde.

Samantha avait toujours les yeux fermés. Cette erreur, elle l'avait commise parce qu'elle n'était pas sur ses gardes. Et c'est vrai que ce soir-là, elle avait la tête ailleurs. Du côté de New York et d'un père qui la traite de « salope, traînée, petite pute », de sa mère qui répète le mot « honte » toutes les trois secondes et de ses frères qui la poussent à quitter la ville.

Lorsqu'elle rouvrit les yeux, elle regarda Elliott, terrifiée.

— Comment vous savez tout ça ?

— Parce que vous me l'avez raconté.

Samantha secoua la tête. Elle n'avait jamais raconté l'incident à personne, pas même en confession. Par contre, depuis deux ans, elle mobilisait sa foi, priant sans relâche, comme pour se racheter. Plus que tout, elle aurait souhaité revenir en arrière, faire en sorte que ce jour maudit n'ait jamais existé. Combien de fois avait-elle réclamé au ciel de lui envoyer la possibilité d'une rédemption !

— Sauver une vie pour racheter une mort… dit Elliott qui devinait le cours de ses pensées.

Après quelques secondes d'hésitation, Samantha boutonna sa veste et dit simplement :

— Je monte en salle d'op.

Elliott allait lui emboîter le pas lorsqu'il sentit sa main qui commençait à trembler.

Déjà !

Il se réfugia dans les toilettes heureusement désertes en ce milieu de nuit. Paniqué, il se sentait disparaître. Il se pencha au-dessus du lavabo pour s'asperger le visage. Contrairement à Samantha Ryan, il ne croyait pas en Dieu ce qui ne l'empêcha pas de lui adresser une prière.

Laissez-moi l'opérer ! Laissez-moi rester un peu plus longtemps !

Mais le Dieu auquel il ne croyait pas se foutait pas mal de ses adjurations et Elliott n'eut d'autre choix que de se laisser aspirer dans les méandres du temps.

★

Il se réveilla en 2006, avachi sur le fauteuil de son bureau. Affolé, il regarda la pendule digitale qui traînait sur une étagère : 02 h 23.

Il avait encore un peu de temps, à condition qu'il reparte tout de suite dans le passé. Fébrile, il avala une nouvelle pilule, mais rien ne se produisit. Normal : la substance n'agissait que pendant le sommeil. Or il était trop anxieux pour s'endormir sur commande. Il se précipita alors dans le couloir et appela l'ascenseur pour descendre à la pharmacie de l'hôpital. Là, il dégota un flacon, d'Hypnosène, un médicament provoquant l'inconscience utilisé pour préparer les patients avant anesthésie. Il remonta dare-dare dans son bureau, attrapa sa trousse médicale pour en sortir une seringue jetable. Il dosa une petite quantité de produit qu'il s'injecta dans une veine. Les effets de l'hypnotique ne furent pas longs à se faire sentir entraînant Elliott au pays des songes et des chimères.

★

Au même moment, en 1976, Elliott, trente ans, terminait de préparer Ilena pour l'opération. Il lui avait rasé la tête et venait de débrancher le respirateur artificiel. Pour lui permettre de respirer pendant le transport, il installa un ballon gonflant et la monta au bloc, le plus discrètement possible.

Samantha Ryan l'attendait ainsi qu'une infirmière. En revanche, aucune trace de son double, jusqu'à ce qu'il entende quelqu'un toquer contre la vitre. Le vieux médecin lui fit signe de venir se désinfecter et Elliott le rejoignit sans parler. Enfin réunis, les deux chirurgiens remontèrent leurs manches jusqu'aux coudes et se préparèrent en silence, se frottant méthodiquement les mains avec un produit antiseptique avant d'enfiler une blouse, un masque, des gants de latex et un bonnet en papier.

*

Puis ils pénètrent tous les deux dans la salle d'opération.

Elliott se met en retrait, laissant son double orchestrer la manœuvre. L'autre est à l'aise, très calme, coordonnant chaque geste pour placer Ilena sur la table d'opération. Il maintient sa tête dans une position axiale, évitant tout mouvement de flexion et de rotation. Il sait qu'elle a des lésions rachidiennes et ne veut pas les aggraver par une installation trop rapide.

Enfin l'opération commence. Le plus vieux des deux médecins ressent une émotion particulière : ça fait deux mois qu'il a cessé d'opérer et jamais il n'aurait pensé tenir à nouveau un bistouri. Ses gestes sont précis. Avec le temps, il a appris à gérer la pression de ces moments extrêmes. Il sait exactement où il faut ouvrir, ses mains ne tremblent pas, tout se passe bien jusqu'à ce que…

— Qui vous a donné l'autorisation d'opérer !

Mitchell vient d'entrer dans la salle et il est blanc

de colère. Il regarde successivement Samantha Ryan, Elliott et son double.

— Qui c'est celui-là ? demande-t-il en pointant le menton dans la direction du vieux chirurgien, lequel lui fait calmement remarquer :

— Vous n'êtes pas stérile, docteur Mitchell et vous venez de laisser passer un hématome.

Vexé, Mitchell porte un masque à sa bouche et promet :

— Ça ne va pas se passer comme ça !

— Veuillez vous désinfecter, répète Elliott, forçant le médecin à ressortir furibard.

L'opération poursuit son cours dans une sérénité inattendue. Dehors, l'orage gronde et on entend le bruit de la pluie qui fouette les vitres et coule dans les rigoles. Elliott, trente ans, regarde son aîné avec un mélange d'admiration et de défiance. Elliott, soixante ans, reste lui concentré sur sa tâche. Même si tout se déroule bien, il est évident que la profondeur de l'hématome, sa taille et l'insuffisance respiratoire d'Ilena rendent le pronostic vital très incertain. Il sait que, même dans le meilleur des cas, son état comateux entraînera des lésions ischémiques et donc des séquelles sévères.

Combien de chances qu'elle s'en sorte ?

Médicalement, cinq chances sur cent qu'elle vive.

Et peut-être une sur mille qu'elle n'ait pas de séquelles.

Mais au cours de sa carrière, il a appris à considérer ces chiffres avec circonspection. Il a connu des patients à qui les médecins ne donnaient pas trois mois, vivre pendant dix ans. Tout comme il a vu des opérations de routine se terminer dans le drame.

Voilà ce qu'il est en train de se dire lorsqu'un afflux de sang asperge son visage. C'est ce qu'il redoutait : une plaie du sinus comprimée par l'hématome. Ça saigne énormément, mais il a prévenu les autres et le sang est aspiré avec précaution. Il fait des efforts pour figer ses émotions, se concentrant uniquement sur la zone d'intervention, sans même penser que c'est Ilena qu'il opère. Car s'il commence à visualiser son image il sait que sa main va se mettre à trembler et que sa vision risque de se brouiller.

L'intervention se poursuit dans le calme jusqu'à ce que Mitchell fasse à nouveau intrusion dans la salle accompagné d'un chef de service. Ils constatent l'infraction au règlement, mais ne tentent pas d'interrompre l'opération qui, de toute façon, touche à sa fin. Alors qu'il anticipe les premiers tremblements, Elliott, soixante ans, se tourne vers son cadet et propose :

— Je te laisse refermer.

Il retire sa blouse et son bonnet, enlève ses gants tachés de sang et regarde ses mains : elles ont tenu le choc sans trembler, plus longtemps qu'il ne l'avait espéré.

— Merci, souffle-t-il, sans bien savoir lui-même à qui s'adresse sa gratitude.

C'était sa dernière opération. La plus importante de toute sa vie.

Au moment de disparaître, sous les yeux médusés de ceux qui l'entourent, il se dit qu'il vient d'accomplir sa tâche.

Désormais, il n'a plus peur de mourir.

20

Dernière rencontre

> *À vingt ans, on danse au centre du monde. À trente, on erre dans le cercle. À cinquante, on marche sur la circonférence, évitant de regarder vers l'extérieur comme vers l'intérieur. Plus tard, c'est sans importance, privilège des enfants et des vieillards, on est invisible.*
>
> Christian BOBIN

San Francisco, 2006
Elliott a *60* ans

Quand Elliott ouvrit les yeux, il était couché sur le carrelage froid de son bureau, baignant dans une petite flaque de sang. Il se mit debout péniblement et porta la main à son nez qui coulait comme une fontaine. Une fois encore, ses vaisseaux sanguins avaient payé leur tribut au voyage dans le temps et il lui fallut plusieurs cotons hémostatiques pour contenir l'hémorragie.

Alors que le jour commençait à poindre, une question n'arrêtait pas de le tourmenter : avait-il réussi à sauver Ilena ?

Il s'installa devant son ordinateur pour consulter l'annuaire en ligne. La veille, sa requête sur le nom d'Ilena Cruz était restée sans réponse. Elliott fit une nouvelle tentative qu'il étendit à toute la Californie. Cette fois, la recherche déboucha sur quelque chose : une adresse à Weaverville, un village au nord de l'État.

Fausse piste ? Fausse joie ?

Il n'y avait qu'un moyen de le savoir.

Il quitta son bureau, descendit dans le hall et après un bref arrêt à la machine à café rejoignit sa voiture garée sur le parking. En roulant bien, il pourrait être à Weaverville en moins de six heures. Sa vieille Coccinelle était fatiguée, comme lui, mais il espérait qu'elle tiendrait le coup. Pour quelque temps encore…

Il prit la route dans le petit matin. Le soleil n'était pas encore levé, mais les fortes pluies de la veille semblaient avoir repeint le ciel d'un bleu métallique.

Il sortit de San Francisco par la Highway 101, avalant très vite les deux cents premiers kilomètres.

Un peu après Leggett, il quitta l'autoroute pour suivre l'itinéraire panoramique qui serpentait jusqu'à Ferndale en contournant Cape Mendocino. Battue par la houle du Pacifique, la route serrait la côte au plus près, surplombant les falaises abruptes qui plongeaient dans la mer. Elliott longea la côte jusqu'à Arcata pour rejoindre la Hwy 299, la seule route praticable qui franchissait les montagnes d'est en ouest. L'endroit avait gardé un côté sauvage avec ses futaies de grands séquoias, ses vastes espaces préservés et ses sapins argentés.

Il roulait depuis plus de cinq heures lorsqu'il atteignit Weaverville qui n'était qu'un village isolé au cœur des montagnes. Il gara la Coccinelle dans la rue principale et entra dans le drugstore du coin pour demander l'adresse d'Ilena Cruz. On lui indiqua un chemin forestier à la sortie du village qu'il décida de rejoindre à pied. Au bout d'une vingtaine de minutes, il repéra une petite maison de bois construite en contrebas de la route. On entendait le bruit d'une cascade qui coulait à proximité. Elliott s'arrêta net, se dissimulant derrière un séquoia qui avait survécu aux abattages menés un siècle plus tôt. Avec ses deux mains, il se protégea de la réverbération et plissa les yeux.

Une femme était assise sous l'auvent du chalet, face aux montagnes enneigées.

Cet après-midi-là, Elliott ne l'aperçut que de dos, mais pas une seconde il ne douta que ce fût elle.

Ils avaient été séparés pendant trente ans. Ils n'étaient plus maintenant séparés que de trente mètres.

Un bref moment, il se fit croire qu'il allait traverser cet espace, qu'il lui raconterait tout, qu'il la serrerait dans ses bras et qu'il pourrait sentir encore une fois l'odeur de ses cheveux.

Mais il était trop tard. Ses derniers voyages dans le temps l'avaient considérablement affaibli. Plus que jamais, il savait que sa vie était derrière lui et qu'il avait perdu le combat face à la maladie qui le rongeait.

Alors, il s'assit contre le tronc de cet arbre millénaire et se contenta de la regarder.

L'air était doux et dans cet endroit solitaire et paisible, il se sentit enfin libéré du poids du temps et du chagrin.

Pour la première fois de sa vie, il était en paix.

*

San Francisco, 1976
Neuf heures du matin
Elliott a *30* ans

Deux jours s'étaient écoulés depuis l'opération d'Ilena.

La jeune femme était sortie du coma un peu plus tôt, mais son pronostic vital restait très incertain.

Les circonstances dans lesquelles s'était déroulée l'intervention avaient fait le tour de l'hôpital, ne suscitant que scepticisme et incrédulité. Pendant quelques heures, les responsables s'étaient interrogés sur la conduite à tenir. Fallait-il signaler l'incident à la police au risque de compromettre le prestige du *Lenox Hospital* ? Le directeur de l'hôpital et le chef du service de chirurgie tenaient trop à leur réputation pour signer un rapport évoquant un « *homme venu de nulle part* » qui se serait « *désintégré au milieu de la salle d'opération* ». Ils se contentèrent d'une sanction qui prit la forme d'un renvoi de deux mois pour Elliott et Samantha.

Le jeune chirurgien venait de se voir signifier sa mise à pied et s'apprêtait à sortir de l'hôpital lorsqu'une infirmière l'interpella :

— Un appel pour vous, docteur ! dit-elle en lui tendant le combiné d'un téléphone mural.

— Allô ?

— Je suis en face, prévint la voix de son double. Viens me rejoindre.

— En face ?

— Chez Harry. Je te commande quelque chose ?

Sans prendre la peine de répondre, Elliott raccrocha et traversa la rue.

On n'y voyait pas à trois mètres. Des nappes de brume s'étiraient dans le vent, enveloppant les lampadaires et les voitures de leur masse mouvante. *Harry's Diner* était un restaurant tout en longueur, installé dans un wagon d'acier en face de l'entrée des urgences. Son allure typique des années cinquante lui donnait un air rétro. Elliott poussa la porte et retrouva ses collègues médecins et infirmières qui venaient avaler un rapide petit déjeuner avant de prendre leur service.

Au fond de la salle enfumée, il aperçut son double, assis à une table devant un mug de café.

— Alors ? demanda Elliott en prenant place sur une banquette en moleskine.

— Elle s'en est sortie !

— Ilena est vivante, dans le futur ?

Le vieux médecin acquiesça de la tête.

Elliott eut un moment d'incrédulité avant de demander :

— Des séquelles ?

Mais son double contourna la question :

— Écoute, p'tit gars, elle est en vie. On l'a sauvée…

Elliott décida de s'accrocher à cette affirmation et pendant plusieurs minutes, les deux hommes restèrent face à face en silence, unis dans une sorte de recueillement.

Tous les deux avaient les traits tirés et les yeux cernés. Tous les deux étaient épuisés par le manque de sommeil et par la tension nerveuse accumulée ces derniers jours. Ils avaient jeté toutes leurs forces dans un étrange combat contre le destin dont ils étaient apparemment sortis vainqueurs.

Elliott fut le premier à craquer : des larmes de fatigue dont il ne savait pas lui-même si elles le soulageaient ou le plongeaient dans le désarroi.

Il se frotta les paupières et tourna la tête vers la vitre. Dehors, le brouillard s'étalait en vagues blanchâtres, noyant les trottoirs et les bornes d'incendie.

— Ça va aller, p'tit gars…

— Non, ça ne va pas aller ! J'ai perdu tous ceux que j'aimais : Matt ! Ilena ! Et tout ça à cause de vous !

— Peut-être mais c'est comme ça : tu dois tenir tes engagements, comme j'ai tenu les miens…

— Pour vous, c'est facile à dire !

— Nous en avons déjà discuté ! Écoute, je ne

sais pas par quel miracle nous avons pu sauver Ilena, alors ne va pas tout gâcher. Mène ta vie comme tu as promis de la mener, car s'il y a une chose dont je suis sûr, c'est que les miracles ne se produisent jamais deux fois.

— Ce sera trop dur à porter...

— Les prochaines années seront difficiles, admit Elliott. Après, tout ira mieux. Tu es capable de supporter ça, mais tu devras le faire seul.

Elliott le regarda en fronçant les sourcils. L'autre s'expliqua :

— C'est la dernière fois qu'on se voit, p'tit gars.

Elliott haussa les épaules.

— Vous dites ça chaque fois.

— Cette fois, c'est vrai. Je ne pourrais plus revenir, *même si je le voulais*.

En quelques mots, il lui raconta l'histoire des pilules : les circonstances dans lesquelles il les avait obtenues, l'effet inattendu qu'elles avaient eu sur lui et qui avait permis ces allers-retours dans le temps...

Il n'avait pas encore terminé son récit qu'Elliott brûlait de lui poser mille questions, mais l'autre s'était déjà levé pour quitter la salle. Le jeune chirurgien comprit qu'il n'en saurait pas davantage et que c'était bien la dernière fois qu'il le croisait.

Alors qu'il l'avait devant lui pour quelques

secondes encore, il se sentit gagné par une émotion qu'il n'avait pas prévue. Deux nuits plus tôt, lors de l'opération d'Ilena, l'autre l'avait bluffé par sa maîtrise et sa capacité à prendre les bonnes décisions. À présent, il regrettait de ne pas avoir eu davantage de temps pour mieux le connaître.

Le vieux médecin prit le temps de boutonner son manteau. Il se sentait partir, mais avec l'expérience, il savait maintenant qu'il en avait encore pour une ou deux minutes.

— J'aime autant éviter de me volatiliser au milieu de ce café...

— Ça m'attirerait quelques ennuis, en effet.

Au moment de prendre congé, l'Elliott de soixante ans, posa simplement la main sur l'épaule de l'Elliott de trente ans avant de s'éloigner.

Il avait presque atteint la porte lorsqu'il se retourna une dernière fois pour envoyer un signe de tête à son double. Leurs regards se croisèrent et dans les yeux de son cadet, il discerna ce qu'il avait déjà remarqué dans les yeux de certains patients : la tristesse de ceux qui n'ont jamais guéri de leur enfance.

Au lieu de sortir du restaurant, il revint sur ses pas. Il avait encore quelque chose à dire à son double : une phrase qu'il avait lui-même attendue pendant des années, mais que personne n'avait jamais pris la peine de lui dire.

Une phrase toute simple, mais qu'il avait mis une vie entière à comprendre.

— Tu n'y étais pour rien...

D'abord, le jeune chirurgien ne comprit pas à quoi son double faisait allusion. Mais l'autre répéta :

— Tu n'y étais pour rien...

— Quoi ?

— Le suicide de maman, les torgnoles que te balançait papa....

Elliott, soixante ans, laissa sa phrase en suspens quand il se rendit compte que sa propre voix s'étranglait. Il eut besoin de reprendre sa respiration avant de répéter comme une litanie :

— ... tu n'y étais pour rien.

— Je sais bien, mentit Elliott troublé par cet échange inattendu.

— Non, tu ne sais pas encore, affirma doucement celui qu'il deviendrait plus tard. Tu ne sais pas encore...

Alors, il y eut une sorte de communion entre les deux hommes, un accord parfait qui dura le temps d'un battement de paupières, jusqu'à ce que le plus vieux soit agité par les tremblements qui sonnaient l'heure de son retour dans le futur.

— Salut, p'tit gars ! lança-t-il en s'éloignant d'un pas vif. À toi de jouer maintenant !

Elliott s'était rassis sur la banquette. À travers la vitre, il regarda son double disparaître dans la brume.

Il ne devait plus jamais le revoir.

21

Vivre sans toi…

La vie aura passé comme un grand château triste que tous les vents traversent.

Louis ARAGON

1977
Elliott a *31* ans

Une nuit d'été à San Francisco.

Les yeux dans le vague, Elliott fume une cigarette sur le toit de l'hôpital. La ville s'étend sous ses pieds, mais il n'y accorde aucune attention. Il n'a pas revu Ilena depuis son transfert à Miami et il en crève.

Une bourrasque de vent soulève un peu de

poussière. Le jeune chirurgien regarde sa montre puis écrase son mégot. Il a une opération dans cinq minutes, la sixième de la journée.

Vivre comme un fantôme, se saouler de travail, accepter toutes les gardes...

Pour ne pas se laisser mourir.

★

Ilena ouvre les yeux tandis que le jour se lève sur Miami.

Ça fait six mois qu'elle est allongée sur un lit d'hôpital, le corps dévasté, les jambes en lambeaux. Elle a déjà subi quatre opérations et ce n'est pas fini.

Dans son esprit, c'est encore pire. Tout est chaos, bêtes qui hurlent et portes qui claquent.

Elle parle peu, elle a refusé toutes les visites : celle de Matt, celle de ses collègues de travail...

Elle se sent si vulnérable. Impuissante.

Comment s'arracher à la douleur et à la honte ?

★

Capote abaissée, Matt roule à pleine vitesse sur l'autoroute qui mène à Seattle. Sa rupture brutale avec Elliott a saccagé sa vie. Lui aussi a perdu ses repères et tout ce à quoi il croyait. Il se sent seul et misérable, alors il pense à Tiffany, cette fille surprenante qu'il a eu la bêtise de laisser filer. Maintenant, il est prêt à tout pour la retrouver. Chaque week-end depuis des mois, il sillonne inlassablement les quatre coins du pays. Comme indice, il n'a qu'un prénom et un numéro de téléphone résilié depuis longtemps.

Pourquoi elle ? Il ne se pose même pas la question. En revanche, il est certain d'une chose : il doit retrouver cette femme, car il pressent qu'elle pourrait être le point fixe de sa vie.

Son port d'attache.

1978
Ilena a *32* ans

Janvier, un centre de rééducation en Floride. En musique de fond, les Nocturnes de Chopin.

Pour la première fois du siècle, la neige tombe sur Miami. À travers la vitre, une jeune femme en fauteuil roulant observe les flocons blancs et légers qui virevoltent dans le ciel.

Si seulement j'avais pu mourir... regrette Ilena.

★

Fin août, un bled paumé, quelque part au Texas.

La serveuse du bar regarde son reflet dans le miroir.

Trois jours avant, elle a fêté ses trente-cinq ans. *Tu parles d'une fête ! Un enterrement plutôt...* pense Tiffany en réajustant son uniforme.

Depuis quelques semaines, elle est de retour au bercail et passe ses journées à servir des bières à des rustauds qui reluquent son décolleté. Retour à la case départ ; retour à cette vie qu'elle avait quittée à dix-sept ans pour aller tenter sa chance en Californie. À l'époque, tout le monde la trouvait belle comme un cœur. Elle savait chanter, danser, jouer la comédie, mais ça n'avait pas suffi pour la faire sortir du lot, ni à San Francisco, ni à Hollywood.

— Tu m'en remets une, ma jolie ! réclame un client en agitant sa chope.

Tiffany soupire. Ses rêves de grandeur sont bel et bien terminés.

Il fait une chaleur étouffante. Les fenêtres sont grandes ouvertes et on entend soudain un crissement de pneus devant le bar, puis, quelques secondes plus tard, un nouveau client qui fait son entrée.

D'abord, elle n'en croit pas ses yeux puis doit bien admettre que « C'est vraiment lui ».

Elle ne l'a pas oublié et souvent, elle a regretté de l'avoir quitté avant même que leur histoire n'ait commencé. Il jette un rapide coup d'œil dans la salle et son regard s'éclaire.

Elle comprend alors qu'il est venu pour elle et que la vie nous fait parfois des cadeaux lorsqu'on ne les attend plus.

Matt se rapproche, presque timide :

— Je t'ai cherchée partout.

Et Tiffany de répondre :

— Emmène-moi.

1979
Elliott a *33* ans

C'est l'automne. Alors qu'Elliott passe quelques jours de vacances en Sicile, une série de tremblements de terre frappe l'Italie du Sud. Presque naturellement, il se porte volontaire pour prêter main-forte aux secours et on l'envoie rejoindre une équipe de la Croix-Rouge à Santa Sienna, une petite bourgade construite à flanc de montagne. Cet épisode sera le début d'une longue collaboration avec la célèbre ONG, mais ça, il ne le sait pas encore. Dans le vieux village, le glissement de terrain a tout emporté sur son passage : les maisons, les voitures…

Sous une pluie torrentielle, les sauveteurs se démènent pour fouiller les décombres. Ils retrouvent une vingtaine de corps, mais aussi plusieurs survivants coincés sous les décombres.

Le soir est presque tombé lorsqu'ils entendent les gémissements d'un gamin de six ans coincé au fond d'un puits. Ils font descendre une torche au bout d'une corde. Le trou est profond et le puits qui s'est à moitié affaissé menace de s'écrouler. Le gamin a de la boue jusqu'à la poitrine et le niveau de l'eau ne cesse de s'élever. Ils tentent de le remonter avec la corde, mais le petit est incapable de s'attacher.

Au risque de passer pour une tête brûlée, Elliott s'encorde et descend au fond du puits.

Il n'a aucun mérite. Il sait que ce n'est pas aujourd'hui qu'il va mourir. Il en a appris suffisamment sur son futur pour savoir qu'il vivra *au moins* jusqu'à soixante ans.

Pendant vingt-sept ans encore, il est « immortel »...

1980
Ilena a *34* ans

Hiver – Une plage déserte balayée par le vent.

Soutenue par une canne, Ilena parcourt quelques mètres avant de se laisser tomber sur le sable mouillé.

Les médecins lui disent qu'elle est encore jeune, qu'elle a une volonté de fer et qu'elle remarchera un jour presque normalement. En attendant, elle a beau se gaver d'analgésiques, rien n'y fait : la douleur est encore partout, dans son corps, dans sa tête, dans son âme.

★

Le 8 décembre – Hôpital Lenox – Salle de repos du personnel médical.

Affalé dans un canapé, les yeux fermés, Elliott se repose entre deux opérations. Les conversations de ses collègues bourdonnent à ses oreilles : pour ou contre Reagan ? Qui, dans *Dallas*, a tiré sur J.R. ? Qui a écouté le dernier Stevie Wonder ?

Quelqu'un allume la télé et soudain :

« John Lennon vient d'être assassiné, cette nuit à New York, au pied du Dakota Building par un déséquilibré du nom de Mark Chapman. Malgré la rapidité des secours, les médecins de l'hôpital Roosevelt n'ont rien pu faire pour sauver l'ex-Beatle. »

1981

C'est un jour de soleil dans Napa Valley.

Matt et Tiffany se baladent main dans la main entre les plants de vigne. Depuis trois ans, c'est la complicité totale, l'harmonie parfaite, le bonheur comme on en rêve...

Y a-t-il beaucoup de personnes sur terre avec qui on puisse vivre heureux ? Est-ce qu'un amour peut durer toute une vie ?

1982

Deux heures du matin, dans la chambre d'un petit appartement de Lower Haight.

Elliott se glisse hors du lit en essayant de ne pas réveiller la femme qui dort à ses côtés et qu'il a rencontrée quelques heures auparavant dans un bar du centre. Il ramasse son caleçon, son jean et sa chemise puis se rhabille en silence. Alors qu'il est sur le point de s'éclipser, une voix le rappelle :

— Tu t'en vas ?

— Oui, mais reste au lit. Je claque la porte derrière moi.

— Au fait, mon prénom c'est Lisa ! maugrée la fille en disparaissant sous la couverture.

— Je sais.

— Alors, pourquoi tu m'as appelée Ilena ?

1983

Matt et Tiffany sont enlacés, couchés sur leur lit, après l'amour.

Une larme coule sur la joue de la jeune femme. Depuis cinq ans, ils essayent sans succès d'avoir un enfant.

Elle vient d'avoir quarante ans.

1984

Passent les jours, les semaines, les années…

Pour Ilena, la vie a de nouveau un sens.

Elle remarche : clopin-clopant, en boitant, en claudiquant, en traînant la patte. Mais au moins, elle remarche.

Impossible de reprendre son ancien métier, mais elle s'est fait une raison. Débordante d'énergie, elle donne des cours de biologie marine à l'université de Stanford et elle est devenue l'une des dirigeantes de Greenpeace, prenant une part active aux nouvelles campagnes contre l'immersion des déchets radioactifs en mer et participant à la création des premiers bureaux européens à Paris et à Londres.

★

C'est l'été à San Francisco.

Une traînée de soleil illumine le hall de l'hôpital. Elliott prend un Coca dans le distributeur, s'assoit dans l'un des fauteuils et regarde autour de lui.

La télé est branchée sur une nouvelle chaîne du câble appelée MTV. À l'écran, *like a virgin*, une jeune chanteuse roule lascivement sur le sol, entamant une succession de mouvements suggestifs qui ne laissent rien ignorer de sa lingerie : c'est le début du phénomène Madonna.

L'hôpital est étonnamment calme. Sur une petite table, quelqu'un a oublié un Rubbick's cube. Elliott s'en saisit et, en quelques mouvements, rétablit les couleurs pleines sur chacune des six faces.

Comme tout le monde, il a ses bons et ses mauvais jours. Aujourd'hui, ça va plutôt bien. Sans trop savoir pourquoi, il se sent serein. Mais à d'autres moments, c'est plus difficile : la solitude se mêle à la lassitude pour l'entraîner vers un précipice de chagrin et de déprime. Et puis, une ambulance amène un nouveau blessé. Vite, on a besoin de lui, il faut opérer ! Et pendant un moment, la vie reprend son sens.

Bénédiction de ce métier.

1985

Vérone, au début du printemps.

Depuis deux jours, Elliott est en Italie pour un congrès de chirurgie. S'il se souvient bien de ce que lui a raconté son double, c'est aujourd'hui qu'il doit rencontrer la mère de sa fille.

Assis à la terrasse d'une trattoria, il regarde le soleil qui se couche sur la piazza Bra. Des rayons orangés caressent les hauteurs de l'Arena, le magnifique amphithéâtre romain qui domine la place.

— Pour vous, Monsieur...

... s'incline le serveur en posant devant lui un verre de Martini dry où surnagent deux olives.

Elliott sirote son apéritif sans parvenir à se calmer. Qu'est-il censé faire au juste ? Il sait qu'il a rendez-vous avec son destin, mais il craint de passer à côté de l'événement. Dans sa tête, repassent en boucle les paroles de son double. Elles datent de bientôt dix ans, mais il ne les a jamais oubliées : *« Le 6 avril 1985, lors d'un congrès de chirurgie à Vérone, tu rencontreras une femme qui manifestera de l'intérêt pour toi. Tu répondras à ses avances et vous passerez un week-end ensemble au cours duquel notre fille sera conçue. »*

Tout ça paraît simple, sauf que le 6 avril c'est aujourd'hui, qu'il est bientôt 7 heures du soir et qu'il attend toujours qu'une pulpeuse Italienne vienne lui conter fleurette.

— Cette place est libre ?

Il lève la tête, surpris, car cette phrase a été prononcée en anglais avec l'accent new-yorkais. Devant lui se tient une jeune femme en tailleur rose pâle. Peut-être a-t-elle repéré l'exemplaire de l'*International Herald Tribune* posé devant le chirurgien… En tout cas, elle semble ravie d'avoir trouvé un compatriote.

Elliott hoche la tête et l'invite à s'asseoir. Elle s'appelle Pamela, elle travaille pour une importante chaîne d'hôtels et elle est à Vérone pour affaires.

C'est elle ? se demande-t-il, soudain anxieux. *Forcément, c'est elle. Tout concorde.* Après tout, son double n'avait jamais précisé qu'elle serait italienne…. Il la détaille tandis qu'elle se commande un verre de valpolicella. C'est une beauté des années quatre-vingt : grande, des formes sculpturales, des cheveux blonds pleins de volume et un côté *executive woman*.

Lorsqu'on leur sert les entrées, ils ont passé le stade des présentations et la conversation s'engage sur les « héros » de la nouvelle Amérique : Reagan, Michaël Jackson, Spielberg, Carl Lewis... Elliott est en pilotage automatique. Il tient son rôle dans la discussion, mais son cerveau est ailleurs.

Bizarre, quand même, je ne l'imaginais pas comme ça...

Il ne parvient pas à croire que cette femme va devenir la mère de sa fille ! C'est difficile d'expliquer pourquoi. En apparence, rien ne cloche chez elle. Sauf que sa conversation est stupide, que ses remarques sont prévisibles, qu'elle est républicaine, qu'elle est davantage *avoir* que *être* et qu'elle n'a pas ce petit quelque chose dans le regard, cet éclat supplémentaire qu'on appelle le charme.

Oui, mais voilà : s'il n'avait pas rencontré son double, il ne serait pas censé savoir que ce flirt va se conclure par une naissance !

Étrange tout de même que je me sois laissé embarquer par le baratin de cette femme...

Bien sûr, au bout de quelques heures de bla-bla insipide, il y a la perspective d'une nuit de sexe, mais là encore, malgré les attraits incontestables de Pamela, Elliott se dit que ce ne sera pas forcément une partie de plaisir.

Le repas se poursuit au rythme des spécialités

du coin : *pasta e fasoi*, risotto à l'Amarone, tournedos au taleggio, le tout entrecoupé de verres de bardolino.

Sur la place, les lampadaires illuminent maintenant le palazzo Barbieri, siège de l'hôtel de ville, ainsi que le large trottoir pavé où, malgré l'heure tardive, déambule encore une foule de Véronais.

Il demande l'addition, mais comme ça traîne, décide de se lever pour payer directement au bar du restaurant. Alors que le patron lui établit sa note, Elliott sort une Marlboro de sa poche et la porte à ses lèvres. Au moment où il s'apprête à allumer son briquet, une flamme embrase le bout de sa cigarette.

— Pas mal votre intervention de ce matin, docteur.

Il lève les yeux vers son interlocutrice : une femme d'une trentaine d'années assise sur un haut tabouret devant un verre de vin blanc.

— Vous étiez au congrès ?

— Giulia Batistini, se présente-t-elle en lui tendant la main. Je suis chirurgienne à Milan.

Elle a des yeux verts et de drôles de cheveux roux qui n'ont rien d'italien.

Le regard de Giulia croise le sien et il remarque dans ses yeux le petit brillant qu'il avait cherché en vain chez Pamela : le charme.

Avec soulagement, il comprend alors que *c'est elle* et pas l'autre qui va devenir la mère de sa fille !

— J'aurais bien aimé discuter davantage avec vous, commence Giulia, mais…

— Mais quoi ?

D'un coup d'œil, elle désigne la terrasse :

— Je crois que votre copine vous attend…

— Je crois que ce n'est pas ma copine.

Elle a un léger sourire, le triomphe modeste de celle qui était prête à se battre davantage :

— Dans ce cas…

1986
Elliott a *40* ans

San Francisco, 5 heures du matin. Un coup de fil en provenance d'Europe au mépris de toutes les règles du décalage horaire. Un accent italien féminin pour lui annoncer ce qu'il sait déjà.

Elliott prend l'avion pour Milan, saute dans un taxi direction l'hôpital, monte quatre étages à pied, frappe à la porte de la chambre 466 : hello Giulia, hello nouveau compagnon de Giulia, hello docteur, hello l'infirmière.

Enfin il s'approche du berceau. Des bébés, il en voit tous les jours à l'hôpital, mais là c'est différent. Celui-là c'est le sien. Au départ, il a peur de ne rien ressentir, puis elle ouvre les yeux, le regarde et d'un battement de paupières, l'attache à elle pour la vie.

Dehors, c'est le mois de février, la neige, le froid, la circulation, les coups de klaxon, les « va fenculo », la pollution. Mais à l'intérieur de cette chambre, tout n'est que chaleur et humanité.

— Bienvenue Angie…

1987

Et de nouveau, la vie.

D'un seul coup, c'est la fin du tunnel, une page qui se tourne, la lumière qui revient quand on ne l'attendait plus.

Un petit bébé dans la maison et tout est chamboulé : partout des biberons, des paquets de couches, du lait deuxième âge.

Cinq mois, sa première dent. Et cinq mois plus tard, ses premiers pas sans qu'on la tienne.

Tout ce qui n'est pas elle nous semble dérisoire. Le 19 octobre, c'est le krach boursier, le Lundi noir, le Dow Jones qui chute de 20 pour cent.

Et après ?

1988

Angie a faim ! Angie veut biscuit ! Angie a soif !
Angie veut Colacoca !

★

Et déjà, c'est Noël. La maison est décorée et un
bon feu crépite dans la cheminée.

Elliott s'est remis à la guitare et grattouille une
version toute personnelle de *With or without you*,
le tube du moment.

Couché sur le tapis, Rastaquouère veille sur la
maisonnée.

Et Angie danse devant les flammes.

1989

Angie a trois ans. Elle sait écrire son prénom
en lettres bâtons avec un gros feutre.

★

Le 24 mars, le pétrolier *Exxon Valdez* s'échoue au
large des côtes de l'Alaska déversant ses trois cent

mille tonnes de pétrole brut et provoquant une marée noire. Sur CNN, réaction violente de Greenpeace par le biais de sa nouvelle porte-parole : Ilena Cruz.

★

En octobre, Rostropovitch joue du violoncelle sur le Mur de Berlin qu'on démantèle.

À la télé, on explique que c'est la fin de la guerre froide et que désormais les hommes vivront heureux dans un monde plein de démocratie et d'économie de marché...

1990

La queue s'étire devant le cinéma.

Dans la première file, c'est plein de familles et de cris d'enfants. Elliott et Angie patientent pour *La Petite Sirène*, le dernier Walt Disney tandis que dans la file d'à côté, on attend pour voir Meg Ryan dans *Quand Harry rencontre Sally*.

Angie est un peu fatiguée et tire la manche de la chemise de son père pour qu'Elliott la prenne dans ses bras.

— Attention au décollage ! crie-t-il en l'attrapant. Alors qu'il soulève sa fille, Elliott tourne la tête et aperçoit… Matt et Tiffany qui font la queue dans l'autre rangée.

Un échange de regards qui dure une demi-seconde, mais qui se prolonge comme au ralenti. Elliott sent son cœur qui se glace. Ça fait presque quinze ans que les deux hommes ne se sont plus adressé la parole. Tiffany regarde Angie avec un sourire triste avant de détourner la tête. Puis les deux « couples » rentrent chacun dans une salle différente.

Le temps des explications n'est pas encore venu.

Mais, un jour, peut-être…

1991

Elliott et Angie se sont lancés dans une recette compliquée de pancakes. Un sourire éclatant illumine le visage de la petite fille. Elle a du sirop d'érable autour de la bouche. C'est le début de soirée, l'air est doux, une belle lumière orangée filtre à travers les vitres de la cuisine.

Près du micro-ondes, la télé est allumée, mais le son est coupé. Quelques images floues du Koweït : l'opération Tempête du désert, première intervention militaire alliée contre l'Irak.

À la radio, U2 chante *Mysterious Ways* et Angie

accompagne efficacement Bono en battant la mesure avec une spatule de bois.

Elliott immortalise le moment grâce à son caméscope. Il se débrouille toujours pour passer le maximum de temps avec elle, même au détriment de sa carrière. Il aime toujours autant son métier, mais a refusé les compromis qui lui auraient permis de gravir plus vite les échelons. D'autres l'ont devancé et il n'a rien fait pour les rattraper. Être un bon chirurgien aux yeux de ses patients suffit à sa satisfaction.

Et puis, sa fille passe avant tout. Il comprend maintenant son double et tous les efforts qu'il a déployés pour sauver Ilena sans sacrifier Angie. Mais la sérénité qu'il éprouve lorsqu'il regarde sa fille se teinte parfois d'une vague inquiétude. La vie lui a déjà appris que les moments de bonheur peuvent se payer au prix fort et il en a retenu la leçon. Depuis six ans l'existence est à nouveau douce, mais il sait que cela peut s'arrêter n'importe quand.

Le problème avec le bonheur c'est qu'on s'y habitue vite...

1992

Six ans, on perd ses premières dents...
C'est donc avec un joli sourire édenté qu'Angie

fait ses devoirs, assise devant la table en verre du salon.

Visiblement mécontent, Elliott entre dans la pièce et regarde sa fille avec sévérité :

— Je t'ai déjà dit d'éteindre la télé quand tu fais tes devoirs !

— Pourquoi ?

— Parce que pour bien travailler, on doit être concentré.

— Mais j'suis concentrée !

— Fais pas ta maligne avec moi !

Il s'empare de la télécommande cachée sous un coussin et s'apprête à éteindre le poste lorsque son doigt se fige sur le bouton.

Sur l'écran, un reporter intervient depuis Rio de Janeiro où se déroule le deuxième Sommet de la Terre. Pendant quelques jours les grandes puissances vont évoquer l'état de l'environnement de la planète. Le reporter a convié la représentante d'une ONG. Plusieurs minutes durant, celle-ci discourt avec talent et conviction des changements climatiques et de la destruction de la biodiversité. Elle a des yeux immenses où perce une vague mélancolie. Pendant qu'elle parle, son nom s'inscrit dans une bande à droite de l'écran : Ilena Cruz.

— Dis Papa, pourquoi tu pleures ?

1993

Il est presque six heures trente. Elliott se glisse hors du lit avant que la sonnerie du, réveil ne se déclenche. De la couverture ne dépasse qu'une longue chevelure brune : celle d'une hôtesse de l'air qu'il a rencontrée à l'aéroport la veille au soir en allant accompagner Angie partie quelques jours chez sa mère en Italie.

Il sort de sa chambre sans faire de bruit, passe sous la douche et s'habille à la va-vite.

Dans la cuisine, il attrape un bloc-notes et s'apprête à griffonner un petit mot lorsqu'il réalise qu'il a oublié le prénom de la fille. Alors, il se contente du service minimum :

En partant, peux-tu remettre les clés dans la boîte aux lettres ?

Merci pour cette nuit.

À un de ces jours peut-être.

C'est nul, il le sait bien, mais c'est comme ça. Ses relations dépassent rarement la semaine. C'est un choix : il se refuse à rester en couple sans être amoureux. Ce serait hypocrite et lâche. Et d'une certaine façon, c'est le moyen qu'il a trouvé pour rester fidèle à Ilena.

On a les arrangements qu'on peut...

Il avale un café en vitesse, attrape un mauvais beignet et quitte la maison pour aller travailler. En sortant, il ramasse le journal que vient de livrer le *paperboy*. Une immense photo s'étale en première page : la poignée de main entre Rabin et Arafat sous l'œil attentif de Bill Clinton.

1994

Un début de soirée à la fin de l'été. Le ciel est mauve avec des reflets rouges. Elliott gare sa fidèle Coccinelle devant Marina Green. Il s'est arrangé pour ne pas rentrer trop tard, mais il sait que Teresa, la nounou qu'il emploie pour s'occuper de sa fille, est déjà partie depuis près d'une heure.

— Angie ! crie-t-il en ouvrant la porte. C'est moi !

Elle a huit ans à présent, mais chaque fois qu'il la laisse seule, il ne peut s'empêcher d'être gagné par l'inquiétude.

— Angie ! Ça va, chérie ?

Il entend ses petits pas qui descendent l'escalier, mais lorsqu'il lève la tête, il découvre son beau visage baigné de larmes.

— Qu'est-ce qui se passe, bébé ? demande-t-il en se précipitant vers elle.

Elle se laisse tomber dans ses bras, écrasée par tout le chagrin du monde.

— C'est Rastaquouère ! finit-elle par avouer entre deux sanglots.

— Qu'est-ce qu'il a fait ?

— Il est... il est mort.

Il la prend dans ses bras et ils montent tous les deux dans la chambre. Effectivement, le vieux chien gît, comme endormi, sur son tapis.

— Tu vas le soigner ? demande la petite fille.

Tandis qu'Elliott ausculte l'animal, les sanglots d'Angie se doublent d'incantations :

— S'il te plaît ! Guéris-le Papa ! Guéris-le !

— Il est mort, bébé, on ne peut plus le soigner.

— Je t'en supplie ! hurle-t-elle en tombant à genoux.

Il la relève et la conduit dans sa chambre.

— Il était très vieux, tu sais. C'est déjà un miracle qu'il ait vécu aussi longtemps.

Mais elle n'est pas encore prête à entendre ce discours. Pour l'instant, la peine est trop lourde et rien ne peut l'atténuer.

Elle se couche dans son lit en enfouissant sa tête dans l'oreiller. Lui reste assis à ses côtés en essayant de la consoler comme il peut.

Ça ira mieux demain.

Le lendemain, ils prennent la voiture et roulent

une bonne heure avant d'arriver dans la petite forêt d'Inglewood, au nord de San Francisco. Ils choisissent un coin isolé, pas très loin d'un grand arbre, et Elliott creuse un trou assez profond à l'aide d'une bêche qu'il a pris soin d'apporter avec lui. Enfin, il met le corps du labrador dans le trou et le recouvre de terre.

— Tu crois qu'il y a un paradis des chiens ? demande la petite fille.

— Je ne sais pas, répond Elliott en recouvrant la tombe de feuilles et de branchages. En tout cas, si c'est le cas, c'est sûr que Rastaquouère y aura une place.

Silencieuse, elle l'approuve de la tête avant que ses larmes ne se remettent à tomber. Pour elle, Rastaquouère a toujours fait partie de son univers.

— J'arrive pas à croire que je ne le verrai plus jamais.

— Je sais chérie, c'est difficile de perdre quelqu'un qu'on aime. Il n'y a rien de plus dur dans la vie.

Elliott vérifie que tout est en ordre puis propose à sa fille :

— Tu peux lui dire au revoir, si tu veux.

Angie s'avance vers la sépulture et prononce d'une voix grave :

— Au revoir, Rastaquouère. T'étais un super chien…

— Ouais, admet Elliott, t'étais le meilleur.

Puis ils regagnent la voiture et prennent la direction de la ville. Pendant le trajet du retour, ils sont tous les deux silencieux. Comme ils ont bien mérité un petit réconfort, Elliott propose de s'arrêter au Starbucks.

— Je t'offre un chocolat chaud ?

— D'accord. Avec de la chantilly !

Ils s'installent à une table et après s'être barbouillé la moitié du visage avec de la crème fouettée, Angie demande :

— Au fait, tu l'avais eu comment ce chien ?

— Je t'ai jamais raconté ?

— Non.

— Eh bien, tu vois, lui et moi, au début, on s'aimait pas beaucoup...

1995

— Papa, on va voir *Toy Story* ?

— Quésaco ?

1996

— Papa, on peut aller voir *Romeo + Juliette* ?
J'adore Leonardo !
— T'as fini tes devoirs ?
— Ouais, j'te jure !

1997

Un samedi après-midi de décembre. Pour la première fois, Angie a préféré aller au cinéma avec
ses copines plutôt qu'avec lui.

Comme des millions d'adolescentes, elle était
impatiente de voir DiCaprio embrasser Kate Wins-
lett sur le pont du *Titanic*.

Tranquille, Elliott se prépare un café dans la
cuisine. Tout va bien. D'où vient alors cette impression profonde de solitude ?

Il monte à l'étage et pousse la porte de la
chambre d'Angie. Elle est partie en laissant la
musique allumée. Dans les enceintes de la chaîne
hifi, les Spice Girls hurlent leur tube *Wannabe*. Au
mur, à côté des inoxydables *Simpsons*, des posters
de séries télé dont il n'a jamais entendu parler :
Friends, Beverly Hills, South Park...

Tout à coup, il ressent un vide et prend subitement conscience que sa fille n'est plus tout à fait une enfant.

Normal, les enfants grandissent. C'est la vie.

Mais pourquoi si vite ?

1998
Elliott a *52* ans

Dans la salle de repos de l'hôpital, la télé est allumée. Sur l'écran, un type annonce que *les hommes viennent de Mars et les femmes de Vénus*. Dans la pièce, toutes les infirmières semblent approuver. Elliott fronce les sourcils. De plus en plus souvent, il a l'impression de ne plus être en phase avec le monde qui l'entoure. Il termine sa canette de Coca et quitte la salle. Pour la première fois, il ressent le poids de « la cinquantaine ». Ce n'est pas qu'il se sente vieux, c'est qu'il ne se sent plus jeune. Et il sait que ça ne reviendra pas.

★

C'est l'époque du triomphe de la série *Urgences*. À l'hôpital, certains patients demandent à être soignés par le Docteur Green ou le Docteur Ross…

À la télévision, un jeudi de janvier, la mine atterrée de Bill Clinton, obligé de se justifier :

— Je n'ai pas eu de relations sexuelles avec cette femme, miss Lewinsky.

Pendant ce temps, au nord du cercle polaire, la banquise continue à fondre à cause du réchauffement climatique.

Mais qui s'en soucie vraiment ?

1999

C'est la fin du mois d'avril.

À l'hôpital, Elliott passe une tête dans l'entrebâillement de la salle de repos.

Vide.

Il ouvre le petit frigo collectif pour y prendre un fruit. Une infirmière a collé un post-it avec son nom sur une pomme verte. Elliott hausse les sourcils, décolle l'adhésif et croque dans la pomme à belles dents.

Il s'installe sur le bord de la fenêtre et regarde d'un œil distrait certains de ses collègues qui jouent au basket plus bas dans la cour. Un parfum de printemps flotte sur San Francisco. Aujourd'hui est une journée parfaite : une journée sous le signe de la vie, une journée où les opérations s'enchaînent avec succès et où les patients n'ont pas la mauvaise idée de vous claquer entre les mains.

Il hésite à allumer la télé. Pourquoi prendre le risque de gâcher cette bonne humeur en s'infligeant sa dose quotidienne d'infos sur les malheurs du monde ? Il est sur le point d'y renoncer lorsqu'il se dit qu'aujourd'hui les choses seront peut-être différentes. Pendant un moment il se met à rêver : l'annonce d'un vaccin contre le Sida, la paix définitive au Moyen-Orient, un vrai plan mondial de lutte contre la pollution, le doublement du budget fédéral consacré à l'éducation...

Mauvaise pioche. Sur CNN, un envoyé spécial en direct du lycée Columbine à Littletown explique que deux élèves viennent de dézinguer douze de leurs camarades avant de retourner l'arme contre eux.

Il aurait mieux fait de ne pas allumer...

2000

— Papa, j'peux avoir un piercing ?

★

— Papa, j'peux avoir un téléphone portable ?

★

— Papa, j'peux avoir un tatouage ?

Mais aussi :
Une gerbille, un iMac, un iPod, un débardeur
DKNY, un jean Diesel, un sac en fourrure, des
baskets New Balance, un poisson-clown, un imper
Burberry, un parfum Marc Jacobs, des lunettes
D&G, un chinchilla, un sac Hello Kitty, des tor-
tues d'eau, un polo Hilfiger, un débardeur IKKS,
un hippocampe, un pull Ralph Lauren, un….

2001

Elliott gare sa Coccinelle au parking et jette un coup
d'œil à sa montre. Il est encore tôt. Théoriquement,

il ne devrait commencer son service que dans deux heures, mais il a choisi d'arriver en avance.

Il sait qu'aujourd'hui sera un jour particulier.

Lorsqu'il pénètre dans le hall de l'hôpital il constate que plusieurs dizaines de patients, de médecins et d'infirmières sont massés autour du poste de télévision. Tous ont un visage livide et beaucoup ont déjà décroché leur téléphone portable.

De toutes les phrases que lui a dites son double lors de leurs différentes rencontres en 1976, il y en a une qu'il n'a jamais oubliée :

« Il s'est passé quelque chose, le 11 septembre 2001, au World Trade Center, *à New York »*

Pendant longtemps, Elliott s'est demandé ce que pouvait être ce *quelque chose*.

Il se rapproche du téléviseur et bouscule quelques personnes pour entrevoir un bout d'écran.

Maintenant, il sait.

2002, 2003, 2004, 2005…
Elliott a 56, 57, 58, 59 ans…

« Ce n'est pas que nous disposons de peu de temps.

C'est surtout que nous en perdons beaucoup. »
Sénèque

2006
Elliott a *60* ans

Manhattan – Deuxième semaine de janvier. Elliott a pris quelques jours de vacances pour aider Angie à s'installer à New York où elle va commencer ses études de médecine.

Alors que sa fille est tout excitée par sa nouvelle vie, Elliott l'a abandonnée quelques heures pour faire une course un peu particulière. Le taxi le dépose devant une tour de métal et de verre à l'angle de Park Avenue et de la 52e Rue. Il s'engouffre dans le building et prend l'ascenseur jusqu'au trente-troisième étage, siège d'un important cabinet médical. La veille, il a passé toute une batterie d'examens et de radios et il en attend maintenant les résultats. Elliott a préféré faire tous ces tests à New York plutôt qu'à San Francisco où la moitié du personnel médical le connaît. Bien entendu, en théorie, il y a le secret médical, mais dans ce milieu comme dans les autres, les rumeurs ont vite fait de se propager.

— Entre Elliott, je t'en prie, lui dit John Goldwyn, l'un des associés du cabinet.

Les deux hommes ont fait leurs études ensemble en Californie et ils sont toujours restés en contact.

Elliott prend place dans un fauteuil tandis que Goldwyn ouvre un dossier cartonné pour en sortir plusieurs radiographies qu'il étale sur son bureau.

— Je ne vais pas te mentir, Elliott... dit-il en lui tendant un des clichés.

— J'ai un cancer, n'est-ce pas ?

— Oui.

— Grave ?

— J'en ai peur.

Il prend quelques secondes pour encaisser l'information puis :

— Combien de temps ?

— Quelques mois...

★

Un quart d'heure plus tard, Elliott est de nouveau dans la rue, au milieu des gratte-ciel, des klaxons et des voitures. Le ciel est bleu, mais il fait un froid polaire.

Encore sous le choc de l'annonce de sa maladie, il déambule au hasard des rues, perdu, fiévreux, tremblant.

En longeant une galerie commerciale, il tombe nez à nez avec son propre reflet que lui renvoie la vitrine d'un magasin de luxe. Là, il prend soudain conscience qu'il a le même âge et la même apparence que son double tel qu'il lui est apparu trente ans auparavant.

Ça y est : je suis finalement devenu lui...

Face à son reflet dans la vitre, il agite la radiographie de ses poumons cancéreux. Comme s'il pouvait encore s'adresser à son double, au-delà du temps, il lui lance d'une voix étranglée :

— Ça, tu t'étais bien gardé de me le dire, espèce de salaud !

Et me laissant à mon destin, il est
parti dans un matin plein de lumière.

Édith PIAF

Février 2007
Elliott a *61* ans

Trois minutes avant la mort...

Allongé sur le canapé de la véranda, emmitouflé dans ses couvertures, Elliott regarde pour la dernière fois le soleil se coucher sur San Francisco.

Il grelotte et malgré le masque à oxygène, n'arrive plus à respirer.

Il lui semble que tout son corps est en train de se dissoudre.

Deux minutes avant la mort...

Voilà le moment tant redouté. Le moment de partir pour le grand voyage.

On prétend souvent que la vie ne vaut pas par sa durée, mais par la façon dont on l'a vécue.

Facile à dire quand on est pétant de santé !

Quant à lui, il a essayé de faire de son mieux, mais est-il pour autant un homme accompli ?

Qui vivra verra.

Qui mourra verra.

Dernière minute…

Il aurait bien aimé mourir avec la sérénité d'un maître zen.

Mais, ce n'est pas si simple.

Au contraire, il est désarmé, comme un gosse.

Il a peur.

Il n'a pas voulu prévenir Angie.

Il n'a personne à ses côtés.

Alors, pour ne pas quitter cette vie tout seul, il pense très fort à Ilena. Et, au moment de rendre son dernier souffle, parvient à se faire croire qu'elle se tient à ses côtés.

*De même qu'il est humain d'avoir
un secret, il est humain de le révéler,
tôt ou tard.*

Philip Roth

Février 2007
Trois jours plus tard

Un beau soleil d'hiver rayonnait sur les allées verdoyantes du cimetière de Greenwood, donnant à l'endroit des allures de parc.

On venait d'effectuer la mise en terre et ceux qui désiraient adresser un dernier adieu à Elliott défilèrent devant la fosse, jetant sur le cercueil une poignée de terre ou une fleur.

Angie s'avança la première, accompagnée par sa mère qui avait fait le voyage depuis Milan. Vinrent ensuite ses collègues ainsi que de nombreux patients qu'il avait opérés au cours des trente dernières années. S'il n'avait pas été six pieds sous terre, Elliott aurait été surpris et touché par cette affluence. Une présence lui aurait particulièrement fait chaud au cœur : celle du détective en retraite Malden qui, à plus de quatre-vingt-dix ans, s'avançait vaillamment vers la fosse, soutenu par son ancien collègue, le capitaine Douglas qui dirigeait aujourd'hui le commissariat principal de la ville.

La cérémonie se termina une demi-heure plus tard, juste avant la tombée de la nuit. Rapidement, tout ce petit monde s'éparpilla, ralliant l'habitacle douillet et rassurant des voitures garées sur le parking. En regagnant leur domicile, ils furent nombreux à penser : *« Moi aussi, mon jour viendra »* ; puis, tout de suite après : *« Pourvu que ce soit le plus tard possible. »*

★

Le petit cimetière était à présent désert et battu par les vents.

Lorsqu'il fut certain d'être seul, un homme qui s'était tenu à l'écart pendant la cérémonie osa enfin s'approcher de la tombe.

Matt.

Sa femme, Tiffany, l'avait dissuadé de venir. Elle

ne voyait pas la nécessité d'honorer la mémoire d'un homme qui ne vous a plus adressé la parole depuis trente ans.

Mais Matt était venu quand même.

Avec la mort d'Elliott, disparaissaient tout un pan de sa jeunesse ainsi que l'espoir d'une réconciliation qu'il avait toujours secrètement espérée.

Car Matt ne pouvait s'empêcher de penser qu'il était passé à côté de quelque chose d'essentiel, trente ans plus tôt. Comment expliquer le brusque changement de comportement d'Elliott à son égard ? Comment expliquer qu'il ait quitté Ilena avec qui il filait pourtant le parfait amour ?

Autant de questions auxquelles il n'aurait désormais jamais de réponses.

— Tu as choisi d'emporter tes secrets avec toi, mon pote, constata-t-il, impuissant.

Tandis qu'il se tenait devant la dalle fraîchement posée, les souvenirs déferlèrent sur lui. Et c'était douloureux. Ils avaient été si proches autrefois. Leur amitié avait beau remonter à plus de quarante ans, il lui semblait qu'elle datait d'hier.

Matt s'accroupit devant la pierre tombale et resta immobile un long moment, tandis que des larmes silencieuses coulaient sur le sol. Avec l'âge, ses yeux pleuraient parfois tout seuls sans qu'il puisse rien faire pour les arrêter.

Alors qu'il se relevait, il lança avec un mélange de hargne et de malice.

— Comme tu es parti en premier, t'as intérêt à me la garder cette foutue place au paradis…

Il allait s'éloigner lorsqu'il perçut une présence derrière lui :

— Vous devez être Matt…

Il se retourna, surpris par cette voix qu'il n'avait jamais entendue.

Une jeune femme drapée dans un long manteau noir, se tenait devant lui.

— Je suis Angie, la fille d'Elliott, déclara-t-elle en lui tendant la main.

— Matt Delluca, se présenta-t-il.

— Mon père m'avait prévenue qu'à son enterrement, vous seriez celui qui resterait le plus longtemps sur sa tombe.

— On était amis, expliqua Matt, presque gêné. Des amis très proches…

Il laissa quelques secondes la phrase en suspens avant de préciser :

— … mais c'était il y a longtemps, bien avant ta naissance.

En regardant attentivement la jeune fille, Matt ne put s'empêcher d'être troublé par sa ressemblance avec Elliott. Angie avait hérité des traits harmonieux de son père, mais pas de son côté inquiet.

C'était une fille épanouie qui, malgré son chagrin, semblait bien dans sa peau.

— Mon père a laissé ça pour vous, annonça-t-elle en lui tendant un sac de papier kraft.

— Ah ? fit-il surpris en acceptant le paquet.

Angie hésita puis ajouta :

— Quelques semaines avant sa mort, il m'a dit que s'il m'arrivait un jour quelque chose de grave…

— Oui ? fit Matt pour inciter la jeune femme à finir sa phrase.

— Si j'avais un ennui, je ne devais pas hésiter à venir vous trouver.

Touché et réconforté par cette marque de confiance, Matt mit un moment avant d'assurer :

— Bien sûr, je t'aiderai de mon mieux.

— À bientôt, peut-être, ajouta-t-elle, et elle s'éloigna comme une ombre.

Matt attendit de l'avoir perdue de vue pour se tourner vers la tombe d'Elliott.

— Tu peux compter sur moi, assura-t-il, je veillerai sur elle.

Puis il quitta le cimetière, le cœur un peu moins lourd qu'à son arrivée.

★

Les yeux brillants, Matt roulait sur la Hwy 29 en direction de Calistoga, la petite ville de la Napa Valley dans laquelle était située son exploitation viticole. Tiffany était en voyage en Europe pour la promotion de leur vin et il ne tenait pas à rentrer seul à San Francisco dans une maison froide et vide.

Au volant de son bolide, il traversa Oakville et St Helena avant d'atteindre la propriété qui faisait sa fierté. Matt était un homme riche. Depuis trente ans, il n'avait pas ménagé sa peine pour faire de son domaine l'un des plus cotés de la région.

Une pression sur la télécommande et la barrière automatique lui ouvrit les portes de la *winery*. Il traversa les jardins aménagés de plans d'eau avant de parquer sa voiture au bout d'une allée de graviers. La vieille maison de bois, rasée depuis longtemps, avait laissé la place à une belle demeure à la fois classique et contemporaine.

Il salua le gardien et descendit directement dans le caveau de dégustation. C'était une vaste salle décorée de tableaux et de sculptures d'artistes réputés : Fernand Léger, Dubuffet, César ainsi qu'un Basquiat hors de prix qu'il avait offert à Tiffany pour son dernier anniversaire.

L'éclairage était doux, donnant au parquet une belle teinte mordorée. Matt s'assit sur un banc de chêne et ouvrit avec excitation l'emballage de papier, curieux de voir ce qu'avait bien pu lui « léguer » son ami. Le sac abritait une boîte en bois clair contenant deux bouteilles de vin qu'il examina avec attention : Château Latour 1959 ; Château Mouton Rothschild 1982. Des millésimes grandioses pour deux des plus grands crus du Médoc : une sorte de perfection en ce bas monde...

Amusé par ce clin d'œil que lui faisait Elliott, Matt souleva une bouteille de son écrin et découvrit avec stupéfaction un grand carnet en moleskine plaqué contre le fond de la boîte.

En une seconde, son état passa de l'amusement à la surprise puis à l'excitation et c'est avec des mains tremblantes qu'il ouvrit le cahier. Il contenait une centaine de pages, noircies d'une calligraphie soignée qu'il reconnut comme étant celle de son ami.

En parcourant la première page, Matt fut saisi par la chair de poule.

Mon vieux Matt,
Si tu lis ces lignes, c'est que cette saloperie de crabe a fini par avoir ma peau. J'ai lutté jusqu'au bout, mais il est des adversaires dont on ne triomphe pas... Dans le journal d'hier, tu as sans doute vu mon avis de décès et comme tu as bon cœur, tu t'es débrouillé

pour faire un saut à mon enterrement. Je parie même que tu t'es planqué derrière un arbre en attendant de pouvoir converser tranquillement avec ma pierre tombale...

Je sais que tu m'en veux encore. Je sais que tu n'as jamais compris mon comportement et que tu as souffert comme j'ai souffert. J'aurais aimé te donner des explications plus tôt, mais ça m'était impossible. Tu comprendras pourquoi...

Voici donc l'incroyable aventure qui m'est tombé dessus et qui nous a tous affectés : toi, Ilena et moi. J'ai essayé chaque fois de prendre les bonnes décisions, mais comme tu le verras, mes marges de manœuvre étaient étroites.

Une fois que tu auras lu ces pages, surtout ne te reproche rien ! Tu as toujours été là pour moi et j'ai eu une sacrée chance de t'avoir comme ami. Ne sois pas triste. Avant de commencer ta lecture, débouche l'une des bouteilles de vin – tu remarqueras que je ne me suis pas foutu de toi ! – sers-toi un verre et bois à ma santé.

Alors que j'écris ces lignes, je sais que je vis mes derniers jours. La baie vitrée de ma chambre est ouverte : le ciel brille de ce bleu intense qu'on ne trouve qu'en Californie, quelques nuages vaporeux courent à travers l'espace tandis que le vent porte jusqu'à moi le bruit des vagues et du ressac.

Toutes ces petites choses qu'on ne prend jamais le temps d'apprécier... C'est con à dire, mais c'est tellement dur de les quitter.

Prends soin de toi, mon vieux Matt et profite du temps qui reste.

Si tu savais combien tu m'as manqué !

Ton ami, à la vie, à la mort,

Elliott.

★

Il était plus de 2 heures du matin.

Les yeux rougis, Matt terminait la lecture de l'étonnant récit que lui avait laissé son ami. La rencontre d'Elliott avec son double, les voyages dans le temps, l'étrange pacte pour sauver Ilena... Cette histoire à laquelle il n'avait pas voulu croire trente ans plus tôt lui revenait aujourd'hui sous un éclairage nouveau.

Matt referma le cahier et se mit debout avec peine. Sa tête tournait, la bouteille de latour était bien entamée, mais elle n'avait pas été suffisante pour apaiser l'infinie douleur des remords et des regrets.

Que faire à présent ? Finir de vider la bouteille pour noyer son chagrin dans l'alcool ? Il considéra un moment cette possibilité, mais il y renonça très vite. Il passa derrière le comptoir de dégustation et s'aspergea le visage d'eau froide. Il enfila ensuite son manteau avant de sortir dans la nuit. Le vent glacé le dégrisa en quelques rafales. Elliott était mort et il n'y pouvait rien changer. Par contre, il y avait encore une chose qu'il pouvait faire.

Mais en avait-il le droit ?

Sur le parking, il délaissa le roadster au profit du 4×4 de l'entreprise. Tout en quittant le domaine, il alluma son système GPS et entra les coordonnées d'une adresse, au nord de la Californie.

Puis il prit la direction des montagnes.

Il roula toute la nuit, s'enfonçant vers l'ouest dans les paysages enneigés. On était encore en hiver et les routes restaient glissantes, masquées par un brouillard épais.

Il faillit tomber en panne d'essence peu après Willow Creek et ne dut son salut qu'au propriétaire d'un drugstore qui accepta de lui vendre à prix d'or un bidon de carburant. Lorsqu'il arriva à Weaverville, la brume s'était enfin levée et on apercevait le soleil qui pointait derrière les cîmes enneigées des Trinity Alps.

Il emprunta le chemin forestier et arriva peu

après devant la petite maison de bois où il était déjà venu avec Tiffany.

Au bruit du 4 × 4, Ilena était sortie sur la véranda.

— Matty ! s'écria-t-elle d'une voix inquiète.

Il agita un bras dans sa direction avant de la rejoindre sous le porche et de la serrer dans ses bras.

Chaque fois qu'il la regardait, il éprouvait une émotion particulière, mélange de compassion et de respect. Ilena s'était battue toute sa vie, d'abord pour surmonter son handicap puis pour défendre les causes qui lui étaient chères.

— Tu as l'air en forme, constata-t-il.

— Toi par contre, tu as une tête à faire peur ! Qu'est-il arrivé, Matt ?

— Je vais t'expliquer, mais fais-moi d'abord un café.

Il la suivit dans la maison. Le chalet était décoré avec goût, mélange de boiseries traditionnelles et de design. Baies vitrées, cheminée, installation informatique dernier cri : rien ne manquait pour faire de l'endroit un pied-à-terre douillet et confortable.

— Alors ? demanda Ilena en allumant la machine à expresso. Ta femme t'a mis dehors ?

— Pas encore, répondit Matt en esquissant un sourire.

Il la regarda avec tendresse. Malgré les épreuves

qu'elle avait subies, Ilena dégageait toujours un charme fascinant. À Stanford où elle continuait à donner quelques cours, elle était considérée comme l'une des « stars » du campus. Dans cette pépinière d'intellectuels et de prix Nobel, nombreux étaient les beaux esprits à s'être ramassé une gentille veste après avoir tenté quelque stratégie de séduction. Matt savait que, depuis son accident, Ilena avait renoncé à toute vie amoureuse. À l'hôpital, elle avait lutté pour survivre à ses multiples opérations chirurgicales. Au sein de Greenpeace, elle avait travaillé avec acharnement contre les lobbies et les gouvernements. Mais jamais elle n'avait retrouvé l'amour…

— Voilà ton café, dit-elle en posant sur la table un plateau avec deux tasses fumantes et un assortiment de biscuits.

Un chat aux poils longs et soyeux fit son entrée dans la pièce pour réclamer lui aussi son premier repas de la journée.

Ilena le prit dans ses bras et lui prodigua quelques caresses. Elle allait faire demi-tour vers la cuisine lorsque Matt avoua brutalement l'objet de sa visite :

— Elliott est mort.

Un profond silence s'abattit sur la maisonnée. Ilena lâcha le persan qui se réceptionna dans un miaulement plaintif.

— La cigarette ? demanda-t-elle en se retournant vers Matt.

— Oui, un cancer des poumons.

Elle hocha la tête, pensive. Son visage demeurait impassible, mais Matt remarqua que ses yeux brillaient.

Puis elle quitta le salon pour la cuisine avec le chat sur ses talons.

Resté seul, Matt soupira. Son regard se perdit du côté des glaciers qui dévalaient des montagnes telles des coulées de lave javellisées.

Soudain, un bruit de vaisselle brisée fit trembler toute la maison. Il se précipita dans la cuisine pour trouver Ilena, effondrée sur une chaise. La tête dans les mains, elle laissait libre cours à son chagrin. Matt s'agenouilla auprès de son amie et l'étreignit avec toute l'affection dont il était capable.

— Je l'aimais tellement... lui confia-t-elle en s'accrochant à ses épaules.

— Moi aussi...

Elle leva vers lui des yeux pleins de larmes :

— Malgré tout ce qu'il nous a fait, j'ai continué à l'aimer.

— Il faut que tu saches quelque chose... murmura Matt.

Il se mit debout et sortit le grand carnet de la poche de son manteau.

— Elliott m'a laissé ça avant de mourir, expliqua-t-il en le tendant à Ilena.

Elle prit le cahier d'une main tremblante.

— Qu'est-ce que c'est ?

— La vérité, dit-il simplement.

Puis il quitta la maison et regagna sa voiture.

*

Perplexe, Ilena sortit sur la véranda pour essayer de le retenir.

Mais Matt était déjà reparti.

L'air du matin était vif malgré le beau temps. Ilena attrapa un châle et s'en couvrit les épaules avant de s'installer sur le fauteuil à bascule.

Elle ouvrit le carnet recouvert de moleskine, reconnut immédiatement l'écriture d'Elliott et crut qu'un pic à glace s'enfonçait dans son cœur et lacérait son âme.

Après avoir lu les premières lignes, elle comprit qu'elle allait avoir la réponse à la question qui la faisait souffrir depuis trente ans.

Pourquoi m'as-tu abandonnée ?

*

Matt conduisait comme un automate en direction de San Francisco.

Triste et abattu.

La confession posthume d'Elliott lui avait d'abord apporté un certain réconfort qui n'avait pas tardé à céder la place à la mélancolie puis à l'accablement.

À vrai dire, cette réconciliation post mortem lui laissait un goût d'inachevé. Matt avait un côté épicurien. Ce en quoi il croyait, c'était en la *vie*. Le « bien mourir », l'idée de partir en paix, de dégager un bilan positif de son existence : tout ça, il s'en fichait pas mal.

Ce qu'il aurait voulu, lui, c'était refaire les quatre cents coups avec Elliott. Prendre le bateau et naviguer tous les deux sur la baie, boire l'apéro dans les cafés du vieux port, déguster une truite *Chez Francis*, partir en balade dans les forêts de la Sierra Nevada….

Vivre.

Mais il ne fallait pas rêver. Elliott était mort et lui n'allait peut-être plus tarder.

Naïf, il s'était toujours imaginé que tout finirait par rentrer dans l'ordre. Mais la vie ne l'avait pas voulu ainsi et les années avaient passé…

Il était maintenant 3 heures de l'après-midi. Au fur et à mesure qu'il se rapprochait de la ville, la circulation était moins fluide. Il s'arrêta à une station-service pour faire un nouveau plein et manger quelque chose.

Dans les toilettes, il se passa plusieurs fois de l'eau sur le visage comme s'il attendait de ce geste qu'il fasse disparaître sa lassitude et sa vieillesse. Le miroir lui renvoya un reflet troublé. Son ventre gargouillait et son esprit était embrouillé par la fatigue et la déprime.

D'où venait cette impression qu'il passait à côté de l'essentiel ? Depuis la nuit dernière, quelque chose le tourmentait. La boucle ne lui semblait pas tout à fait bouclée, mais il n'aurait pas su dire pourquoi.

Il commanda un sandwich avant de s'asseoir à une table près de la fenêtre d'où il regarda d'un air absent le chassé-croisé des voitures le long de la 101.

C'est avec une jouissance coupable qu'il mordit dans son sandwich au bacon. Depuis que ses dernières analyses avaient révélé un alarmant taux de cholestérol, sa femme lui interdisait ce genre de nourriture.

Mais aujourd'hui, Tiffany n'était pas là pour prendre soin de lui.

Entre deux bouchées, il prit néanmoins la peine d'attraper la boîte du médicament anticholestérol qu'il gardait toujours dans la poche de sa veste. La plaquette était presque vide. Il enleva la dernière gélule de la capsule et l'avala avec une gorgée de café.

Ce geste machinal fit sauter un verrou dans son esprit.

Il abandonna son sandwich et son café pour se précipiter vers son 4×4.

Car il venait de comprendre ce qui le préoccupait depuis plusieurs heures !

Il avait lu et relu le récit d'Elliott. Celui-ci expliquait clairement que le vieux Cambodgien lui avait donné *dix* pilules. Or, Elliott n'avait effectué que *neuf* voyages dans le temps !

Dix pilules ; neuf voyages.

Où était donc passée la pilule restante ?

24

Dernière pilule…

Quand plusieurs routes s'offriront à toi et que tu ne sauras pas laquelle choisir, n'en prends pas une au hasard, mais assieds-toi et attends. Attends encore et encore. Ne bouge pas, tais-toi et écoute ton cœur. Puis, quand il te parlera, lève-toi et va où il te porte.

Susanna TAMARO

2007
Matt a *61* ans

Matt regagna la ville en moins d'une demi-heure.

Quelque chose trottait dans sa tête.

Une idée un peu folle, mais qui lui mettait du baume au cœur.

Il déboula sur Marina Bd et, comme au bon vieux temps, gara sa voiture devant la maison d'Elliott. Il avait espéré y trouver Angie mais apparemment, la demeure était vide. Après avoir sonné et tambouriné à la porte, il contourna la maison et enjamba la clôture pour retomber dans le jardin. L'endroit n'avait presque pas changé. Le vieux cèdre d'Alaska, fidèle au poste, déployait son impressionnante ramure qui flirtait avec la paroi de verre. Matt était à peu près certain que, contrairement aux maisons alentour, il n'y avait pas d'alarme dans celle-ci. Il retira son manteau, l'enroula autour de son bras et, de toutes ses forces, donna un coup de coude dans la baie vitrée de la cuisine. Le verre était épais, mais côté force physique, Matt avait encore de beaux restes. Lorsque le panneau céda, il passa une main habile entre les tessons et ouvrit la porte de l'intérieur.

Il se faufila dans la maison et pendant trois bonnes heures, parcourut les deux étages de fond en comble, fouillant méthodiquement chaque pièce, ouvrant tous les tiroirs, inspectant chaque placard, soulevant les quelques lattes disjointes du parquet en espérant mettre la main sur la dernière pilule.

Mais il ne la trouva pas.

La nuit était déjà là. Matt allait repartir chez lui lorsqu'il tomba en arrêt devant un cadre contenant une photo d'Elliott posée au milieu de plusieurs clichés d'Angie.

Il laissa alors éclater sa colère et sa déception :

— Tu t'es bien foutu de nous, hein ? cria-t-il en direction du portrait d'Elliott.

Il l'engueulait comme s'il l'avait eu devant lui :

— Tout ça, c'est des conneries, n'est-ce pas ? Des bobards que tu as inventés pour justifier ton comportement...

Il s'approcha plus près de la photo et planta son regard dans celui du médecin :

— Il n'y a jamais eu de vieux Cambodgien ! Il n'y a jamais eu de pilules ! Il n'y a jamais eu de voyages dans le temps ! Tu délirais il y a trente ans et tu as continué à délirer jusqu'à ta mort !

Dans un geste de dépit, il s'empara du cadre et le précipita contre le mur.

— Salaud !

Puis, à bout de forces, il se laissa tomber sur le fauteuil du bureau.

Il lui fallut un long moment pour retrouver un semblant de sérénité.

À présent, la pièce était tout entière plongée dans l'obscurité.

Matt se leva pour allumer la petite lampe posée sur un chiffonnier en bois peint. Au milieu des morceaux de verre, il ramassa le portrait d'Elliott et le posa sur une étagère de la bibliothèque.

— Sans rancune.

La bibliothèque....

Il avança vers le meuble. Il se souvenait du jour où il était venu ici pour insérer le télégramme entre les pages d'un atlas. Debout devant les rayonnages, il parcourut les titres des ouvrages jusqu'à retrouver celui qu'il cherchait. Il attrapa le vieil atlas, souffla sur la tranche pour enlever la fine couche de poussière et secoua le recueil de cartes et de tableaux.

Rien, puis soudain une intuition, un dernier geste pour continuer à s'accrocher à son rêve...

Il s'empara d'un coupe-papier qui traînait sur le bureau et l'inséra dans le mince espace séparant la reliure du dos de l'atlas. Il rencontra une certaine résistance jusqu'à ce qu'un minuscule carré de plastique tombe sur le parquet.

Matt s'en empara le cœur battant. C'était un minuscule sachet hermétique qu'il ne tarda pas à ouvrir pour en faire glisser le contenu sur sa paume.

Au creux de sa main se trouvait maintenant une petite pilule dorée...

Il essaya de ne pas s'emballer, mais fut submergé par une décharge d'adrénaline.

Une dernière pilule.

Un dernier voyage...

★

Que faire à présent ?

Quelle était l'intention d'Elliott en gardant une ultime possibilité de revenir dans le passé ? Et pourquoi avait-il choisi de dissimuler la pilule justement à *cet endroit*, dans cette cachette que *lui seul* pouvait connaître ?

Matt déambulait à travers le séjour, ressassant ces mêmes questions lorsque son téléphone sonna.

Il regarda l'écran du portable et reconnut le numéro qui s'affichait.

— Ilena ?

— Oui, c'est moi, je viens de lire le carnet…

Elle parlait d'une voix blanche, essayant de contenir les assauts de la peur et de l'émotion.

— C'est une histoire de dingues, Matty, il faut que tu m'en dises plus.

Matt ne sut quoi répondre. Il ferma les yeux et se frotta les paupières.

Bien sûr qu'Ilena avait du mal à croire le récit d'Elliott ! Comment pouvait-il en être autrement ? Comment lui demander d'accepter cette histoire invraisemblable alors qu'elle ne s'était jamais douté de l'étrange drame qui avait bouleversé la vie de l'homme qu'elle aimait.

— Je ne peux rien t'expliquer pour l'instant, répondit Matt.

— Oh si, tu vas m'expliquer ! s'emporta Ilena. Tu débarques chez moi pour m'obliger à remuer des souvenirs que j'avais mis trente ans à enfouir et tu repars comme un voleur !

— Je vais te le ramener, Ilena.

— Qui ?

— Elliott.

— Toi aussi, tu es fou ! Elliott est mort, Matt. MORT !

— Je vais te le ramener, répéta simplement Matt. Tu as ma parole.

— Arrête de me faire du mal ! hurla Ilena avant de raccrocher.

Matt remit son téléphone dans sa poche. Il se posta devant la baie vitrée, cinglée par une pluie fine. Il était calme et déterminé. À présent, tout lui paraissait clair.

Cette dernière pilule, c'est lui qui allait la prendre.

★

Il trouva une bouteille de Perrier dans le réfrigérateur et en avala une grande lampée pour – c'était le cas de le dire – « faire passer la pilule ».

Voilà.

Trop tard pour faire demi-tour.

Il regagna le salon, s'assit dans un fauteuil et déplia ses jambes sur le bureau.

À présent, il n'y avait plus qu'à attendre.

Mais attendre quoi ?

Une indigestion ?

Des crampes d'estomac ?

Ou de revenir à son tour trente ans en arrière… ?

Il attendit et attendit encore.

En vain.

Frustré, il monta à l'étage, fureta dans la salle de bains et trouva une boîte de somnifères. Il prit deux comprimés, redescendit dans le salon et s'allongea sur le canapé.

Il ferma les yeux, compta les moutons, ouvrit les yeux, changea de position, éteignit la lumière, la ralluma…

— Et merde ! lança-t-il en se levant d'un bond.

Trop agité pour trouver le sommeil, il enfila son manteau et quitta la maison sous une averse glacée. Il rejoignit sa voiture en courant pour se mettre à l'abri. Il démarra en trombe, remonta Filmore pour rejoindre Lombard Street. On était en hiver, il était plus de minuit et les rues étaient désertes.

Il arrivait dans la partie la plus élevée de Russian Hill – à l'endroit où la rue plonge vers North Beach dans une série de virages en épingle à cheveux – lorsque le sommeil s'abattit sur lui brutalement. D'un seul coup, une douleur irradia au niveau de sa nuque, son esprit se brouilla et il sentit du sang bourdonner à ses tempes. Il perdit connaissance et s'effondra sur le volant sans même avoir eu le temps de se garer.

Le 4×4 ripa contre le trottoir, écrasa deux massifs d'hortensias avant de s'encastrer dans une barrière métallique.

★

1977

Lorsque Matt ouvrit les yeux, il était couché face contre terre au milieu des lacets de Lombard Street. La nuit était particulièrement sombre, brouillée par la pluie et la brume.

Trempé, dégoulinant, Matt se mit debout péniblement. Combien de temps était-il resté là ? Il regarda sa montre, mais elle s'était arrêtée. Il chercha des yeux sa voiture : le 4×4 avait disparu.

Plus haut, sur Hyde Street, l'enseigne lumineuse d'un drugstore grésillait dans l'obscurité. Il se précipita dans le magasin. L'endroit était vide, à l'exception d'un employé asiatique qui rangeait des canettes de sodas sur une étagère. Matt s'approcha du présentoir à revues. Avec fébrilité, il s'empara d'un exemplaire de *Newsweek* : en couverture, Jimmy Carter arborait un sourire crispé. Sur le bord du magazine, la date de publication indiquait : 6 février 1977.

Il se rua hors de la boutique.

La pilule avait finalement produit ses effets ! À son tour, il était revenu dans le passé, trente ans plus tôt !

Mais il savait que la durée de ces escales dans le temps était brève. Il n'avait que quelques minutes pour retrouver Elliott. Sa première intention fut de revenir vers la marina, mais d'après ce qu'il avait lu dans le carnet, il savait qu'à cette époque, Elliott travaillait souvent de nuit.

Il prit quelques secondes pour se décider.

L'hôpital Lenox était à un peu plus d'un kilomètre à vol d'oiseau. Une courte distance en voiture, mais pas la porte à côté à pied. Il se posta au milieu de la route pour essayer d'arrêter une automobile, mais ne récolta que quelques coups de klaxon vengeurs et plusieurs éclaboussures qui achevèrent de le tremper complètement.

Il prit alors son courage à deux mains et se lança dans un footing nocturne pour rallier l'hôpital. Il grimpait puis dévalait les rues de cette ville à la topographie si particulière. Hors d'haleine, il marqua le pas au niveau de California Street. Mains sur les genoux, il reprit son souffle en regrettant amèrement de ne pas avoir suivi les conseils de Tiffany qui l'exhortait à pratiquer un jogging quotidien pour perdre la dizaine de kilos qu'il avait en trop. Son manteau n'était plus qu'une serpillière géante qu'il abandonna sur le trottoir. Ainsi libéré, il reprit sa course sous la pluie battante. Plutôt crever d'une crise cardiaque que d'abandonner si près du but !

Ça faisait quarante ans qu'il attendait ce jour. Le jour où, à son tour, il allait sauver Elliott.

Enfin, il aperçut les lumières clignotantes des urgences. Il parcourut les derniers cent mètres aussi vite que possible et poussa la porte de l'hôpital comme si sa vie en dépendait.

— jecherchéledocteurelliottcooper ! annonça-t-il avec un débit de mitraillette.

— Pardon ? demanda l'employée du bureau d'accueil.

— Je cherche le Dr Elliott Cooper ! répéta-t-il en articulant.

Serviable – on était encore dans les années soixante-dix – la jeune femme lui tendit une serviette pour qu'il puisse se sécher, avant de consulter le planning. Elle allait lui répondre lorsqu'un infirmier la devança :

— Elliott est à la cafeteria, expliqua-t-il en mordant dans une barre chocolatée. Mais cet endroit...

Matt fonça à travers le hall, tandis que l'infirmier terminait sa phrase :

— ... est réservé au personnel.

★

Matt poussa les deux battants de la porte du réfectoire. L'endroit était désert, plongé dans la pénombre. Sur le mur, l'horloge indiquait 2 heures du matin et derrière le comptoir, une radio diffusait en sourdine un concert de Nina Simone.

Matt s'avança au milieu de la rangée de tables. Dans le fond de la salle, adossé contre le mur, les jambes étendues sur un banc, Elliott annotait des dossiers médicaux en fumant une cigarette.

— Alors, mon vieux, toujours au boulot ?

Elliott sursauta et tourna la tête vers l'homme qui venait d'entrer. D'abord, il ne le reconnut pas. Puis il fit abstraction des rides, de l'épaisseur de la silhouette et de la chevelure moins fournie.

— Trente ans, ça vous change un homme, hein ? constata Matt.

— C'est... c'est toi ? bredouilla le jeune médecin en se levant lentement.

— En chair et en os.

Après une courte hésitation, les deux hommes s'étreignirent.

— Putain, mais d'où tu viens ?

— De l'an de grâce 2007.

— Comment as-tu pu… ?

— Il restait une pilule, expliqua Matt.

— Alors, tu sais tout ?

— Oui.

— Je suis désolé pour ce qui est arrivé, s'excusa Elliott.

— T'en fais pas…

Les deux hommes se tenaient face à face, à la fois émus et intimidés.

— Comment tu vas, toi, en 2007 ? demanda Elliott, toujours avide d'informations sur l'avenir.

— Je vieillis, répondit Matt avec un demi-sourire, mais ça va.

— On est toujours brouillés ?

Matt marqua une pause avant de regarder son ami dans les yeux et d'avouer :

— Toi, tu es mort.

Le silence s'installa, l'orage redoubla et la voix douce-amère de Nina Simone se perdit dans le bruit de la pluie.

Incapable d'articuler la moindre parole, Elliott cligna des yeux et hocha la tête.

Matt allait ajouter quelque chose lorsqu'une

gerbe de sang jaillit sur sa chemise en même temps que les premiers tremblements agitaient son corps.

— Je pars ! cria-t-il en s'accrochant à Elliott.

Pris d'une crise convulsive, Matt se plia en deux, comme si son corps était soudainement frappé d'une décharge électrique.

— Je suis venu pour te sauver, articula-t-il avec peine.

Il tremblait tellement qu'Elliott l'aida à s'asseoir sur le sol.

— Et comment tu comptes t'y prendre ? demanda-t-il en s'agenouillant à ses côtés.

— Comme ça, dit Matt en lui enlevant sa cigarette de la bouche avant de l'écraser sur le carrelage de la cafeteria.

Elliott regardait son ami avec inquiétude. Sa nuque était raide et tous ses membres secoués de contractions désordonnées.

— Y a pas que toi qui peux sauver des vies, murmura Matt en tentant un sourire.

— Si je suis encore vivant d'ici là, rendez-vous en 2007, proposa Elliott.

— T'as intérêt d'y être, mon grand.

— Trente ans, ça va être long, remarqua Elliott en lui prenant la main.

— T'en fais pas : ça passera vite.

En quelques secondes, la respiration de Matt se

fit rauque et bruyante. Son regard se vitrifia et un spasme lui déforma le visage. Il eut tout juste le temps d'ajouter :

— Ça passe toujours trop vite...

Avant de disparaître dans un cri de souffrance.

★

Elliott se mit debout, dévoré par l'inquiétude. Le retour de Matt dans le futur avait été plus douloureux que pour son double. Était-il néanmoins parvenu à bon port ? Et si oui dans quel état ?

Comme chaque fois qu'il était anxieux, il porta la main à son paquet de cigarettes et en alluma une avec célérité. Malgré l'averse, il ouvrit la fenêtre et regarda avec fascination les trombes d'eau que lui envoyait le ciel.

Cette cigarette, Elliott la fuma en prenant tout son temps.

Il avait parfaitement compris le message de Matt.

Le regard dans le vague, hypnotisé par le rideau de pluie, il repensait aux risques que venait de prendre son ami pour lui sauver la vie.

— Là, tu m'as épaté, mon vieux ! avoua-t-il tout bas, en espérant que les forces de l'esprit porteraient son message jusqu'à Matt.

Il écrasa son mégot contre le rebord de la fenêtre,

jeta son paquet juste entamé dans la corbeille et quitta la cafeteria.

Ce fut la dernière cigarette de toute sa vie.

★

2007

Il était plus de 2 heures du matin, mais les lumières étaient encore allumées dans la petite maison d'Ilena.

Sur le bureau, entre l'ordinateur portable et un mug de thé froid, le cahier en moleskine consignant le récit d'Elliott était ouvert à la dernière page.

Assise à sa table de travail, les yeux douloureux d'avoir trop pleuré, Ilena commençait à s'assoupir lorsque le chat persan qui dormait sur le canapé hérissa soudain ses poils et poussa un feulement insolite avant de courir se cacher sous le petit meuble à tiroirs.

En un instant, la maison fut secouée de tremblements, les murs vibrèrent, une ampoule éclata et un vase se brisa sur le sol.

Ilena se redressa sur sa chaise, affolée.

Il y eut un grondement sourd suivi d'une aspiration puis le cahier en moleskine se volatilisa sous ses yeux !

Peu à peu, les vibrations cessèrent, le chat sortit lentement de sa cachette et poussa un miaulement plaintif.

Ilena, elle, restait pétrifiée, paralysée par l'émotion. Dans sa tête, un fol espoir :

Si le cahier n'existait plus, c'est qu'Elliott ne l'avait pas écrit.

Si Elliott ne l'avait pas écrit, c'est qu'il était... vivant.

Épilogue

Février 2007

— Monsieur ! Ça va, Monsieur ?

Lorsque Matt ouvrit les yeux, il était effondré
sur le volant de son 4×4. De chaque côté du véhicule, deux policiers cognaient aux vitres, inquiets
de son état.

Matt se redressa péniblement et déverrouilla les
portières.

— J'appelle une ambulance ! décida l'un des
agents en découvrant la chemise maculée de sang.

Matt était mal en point. Sa tête bourdonnait et
ses tympans avaient éclaté. Il sortit de la voiture en
portant une main devant ses yeux pour se protéger
de la luminosité. Ses membres étaient ankylosés,
comme s'il avait dormi pendant plusieurs mois.

Déjà, les policiers le pressaient de questions.

Après avoir défoncé la rampe métallique, le tout-terrain avait terminé sa course sur les marches de l'escalier qui courait le long de la rue la plus pentue de la ville. Matt présenta ses papiers, admit sa responsabilité totale dans l'accident et accepta un test d'alcoolémie qui se révéla négatif.

Libéré de ses obligations envers la force publique, il quitta Lombard Street sans attendre l'arrivée de l'ambulance.

L'orage de la veille avait cédé la place à une belle matinée, venteuse, mais ensoleillée.

Assommé et groggy, Matt regagna la marina en traînant la jambe. Dans son esprit tout se mélangeait. À présent, il n'était plus sûr de rien. Avait-il rêvé son voyage dans le temps ? Avait-il réussi à sauver Elliott ?

Lorsque Matt arriva sur la Marina, il tambourina comme un fou contre la porte d'entrée de son ami.

— Ouvre Elliott ! Ouvre cette putain de porte !

Mais la maison était vide.

Si le temps n'avait pas effacé leur amitié, sans doute que leur amitié ne pouvait pas non plus effacer le temps.

Épuisé et détruit moralement, Matt s'écroula en larmes sur le rebord du trottoir. Il resta ainsi prostré jusqu'à ce qu'un taxi tourne à l'angle de Fillmore pour s'arrêter devant lui.

Ilena sortit de la voiture, pleine d'espoir, mais Matt lui adressa un signe négatif de la tête indiquant qu'il avait échoué.

Il n'avait pas tenu parole, il n'avait pas été capable de ramener Elliott.

★

Ilena traversa la rue et fit quelques pas en direction de la plage. Le Golden Gate était tout près et, pour la première fois, elle eut le courage de regarder ce pont maudit d'où elle s'était jetée trente ans plus tôt.

Il avait toujours cet éclat magnétique qui le rendait si fascinant.

Comme hypnotisée par la lumière du matin, Ilena s'avança vers la mer.

Sur le rivage, un homme marchait le long des vagues.

Lorsqu'il se retourna, Ilena put voir son visage et son cœur se serra.

Il était là.

« Le paradoxe du grand-père » évoqué au chapitre 7 est bien entendu emprunté à René Barjavel dans son livre *Le Voyageur imprudent*.

POCKET N° 15531

**Un divorce
les avait
séparés...
le danger
va les réunir**

Guillaume
MUSSO
7 ANS APRÈS...

Après un divorce orageux, Nikki et Sebastian ont refait
leur vie. Jusqu'au jour où leur fils Jeremy disparaît
mystérieusement. Pour le sauver, Nikki n'a d'autre
choix que de se tourner vers son ex-mari, qu'elle n'a pas
revu depuis sept ans. Contraints d'unir leurs forces, ils
s'engagent alors dans une course-poursuite, retrou-
vant une intimité qu'ils croyaient perdue à jamais...

> « *Un thriller psychologique riche en
> rebondissements.* »
> Tatiana de Rosnay – *Le Journal
> du Dimanche*

Retrouvez toute l'actualité de Pocket sur :
www.pocket.fr

POCKET N° 15074

Dans leur téléphone, il y avait toute leur vie...

Guillaume
MUSSO

L'Appel de l'ange

Guillaume MUSSO

L'APPEL DE L'ANGE

New York. Aéroport Kennedy. Un homme et une femme se télescopent et échangent par mégarde leurs téléphones. Cédant à la curiosité, chacun explore le contenu du téléphone de l'autre. Une double indiscrétion et une révélation : les vies de Madeline et Jonathan sont liées par un secret qu'ils croyaient enterré à jamais.

> « La fascination opère. On plonge dans le "mystère" Musso comme, gamin, on sautait à pieds joints dans les flaques. »
> Pierre Vavasseur – Le Parisien

Retrouvez toute l'actualité de Pocket sur :
www.pocket.fr

Composition et mise en pages
Nord Compo à Villeneuve-d'Ascq

Imprimé en France par

à La Flèche (Sarthe)
en mars 2015

POCKET – 12, avenue d'Italie – 75627 Paris Cedex 13

N° d'impression : 3009310
Dépôt légal : octobre 2013
Suite du premier tirage : mars 2015
S24579/03